Scrittori italiani e stranieri

Teresa Ciabatti

Sembrava bellezza

ROMANZO

MONDADORI

Dello stesso autore in edizione Mondadori
I giorni felici
La più amata

▲ librimondadori.it

Sembrava bellezza
di Teresa Ciabatti
Collezione Scrittori italiani e stranieri

ISBN 978-88-04-73524-3

© 2021 Mondadori Libri S.p.A., Milano
Pubblicato in accordo con S&P Literary – Agenzia letteraria Sosia & Pistoia
I edizione gennaio 2021

Anno 2021 - Ristampa 1 2 3 4 5 6 7

Sembrava bellezza

Da cinque le ragazze si erano ridotte a quattro, e tutte, vive e morte, stavano diventando ombre.

JEFFREY EUGENIDES, *Le vergini suicide*

La paziente parla molto velocemente, d'impulso, e (pare) senza discriminazione... cosicché l'importante e il banale, il vero e il falso, il serio e lo scherzoso sgorgano in un flusso rapido, non selettivo, quasi confabulatorio... Può contraddirsi completamente nel giro di pochi secondi... Dirà di amare la musica, di non amarla, di avere un femore spezzato, di non averlo.

OLIVER SACKS,
L'uomo che scambiò sua moglie per un cappello

I fatti e le persone di questa storia sono reali.
Fasulla è l'età di mia figlia, il luogo di residenza, altro.

La donna nella foto subiva le violenze del padre. Aggressivo, collerico, era con lei che sfogava la rabbia, così la definivano in famiglia dove tutti sapevano, e nessuno si ribellò. Passa una generazione, e il figlio minore lo racconta alla moglie che lo racconta alla figlia, me.

Non ricordo il nome del mio bisnonno morto molto prima che io nascessi, né ho foto di lui.

Se immagino mia nonna bambina vedo un uomo senza volto entrare in bagno (ai tempi non esistevano bagni), entrare in bagno e tapparle la bocca. Spesso, fantasticando, mi sono chiesta cosa facessi io a sette anni, l'età in cui mia nonna veniva violentata dal padre.

Ai parenti che protesteranno – mai avvenuto un simile episodio nella nostra famiglia, questa è diffamazione – risponderò: avete ragione, era la nonna materna, una zia, la tata (nel 1955 da Brittoli, provincia di Pescara, arrivava a Roma una quindicenne con evidenti problemi fisici, quali deformità della gamba sinistra e di entrambi i piedi che la costringeva a pesanti scarpe ortopediche. La ragazza prestava servizio presso un anziano vedovo nel palazzo dove mia nonna – stavolta materna, sì – aveva il negozio di cappelli, via dei Prefetti 35. Tutti sapevano della giovane violentata. Per un periodo nessuno intervenne, finché un giorno mia nonna prese la ragazza e la portò a vivere con sé. Fu la tata di mia madre, poi mia e di mio fratello. Né nelle storie che raccontava per farci addormentare, né in seguito nelle chiacchiere quotidiane da quasi adulti, menzionò mai l'uomo che aveva abusato di lei. Alla sua morte, l'anziano le destinò una somma di denaro che lei accettò).

Un fatto di cronaca recente si sovrappone a queste vicende per similitudine di circostanze, e di vittime: donna di sessant'anni, affetta da lieve ritardo mentale, provincia di Treviso.

Attirata con un tranello nella cascina del cognato, il medesimo la sequestra. Prigioniera nel pollaio, viene picchiata e stuprata. Nutrita ad acqua e pane. Lasciata sul terriccio fra i suoi escrementi e quelli delle galline. Frattanto il carceriere le sottrae la carta BancoPosta per prelevare la pensione di invalidità, quattrocento euro. Prima che la vittima riesca a fuggire, prima che una notte prenda coraggio spinta dal pensiero del figlio lontano a cui sotto minaccia è stata costretta a scrivere il messaggio "Vado a vivere in Romania, non cercarmi" – riferirà la stessa agli inquirenti –, pochi giorni prima l'uomo le taglia i capelli col trinciapollo.

Da maschio, dice lei vedendosi in uno specchio dopo la fuga, scoppiando a piangere. Decide allora di indossare uno zucchetto di lana.

Ho visto la morte in faccia, dirà agli inquirenti in riferimento al taglio dei capelli – il momento peggiore.

Non la violenza, non le botte. O gli escrementi, la fame, il freddo.

Come funziona la mente umana.

Funziona in modo differente per ciascuno di noi in base al percepito, e anche alle caratteristiche fisiche. La stessa esperienza ha tante versioni quante le persone che l'hanno vissuta.

Ognuno individua dolore e gioia dove non li individuano gli altri. Addirittura il piacere risiede in luoghi diversi, anfratti emotivi a seconda della persona. È forse il piacere, tra i sentimenti umani, il mistero più grande.

Così mia nonna paterna, malata di Alzheimer, verso la fine non riconosceva nessuno. Chiunque andasse a trovarla veniva scambiato per il padre. Babbo, diceva. E al momento dei saluti: non lasciarmi. Il padre era l'unica persona che invocava.

LIBRO PRIMO

1

Quando mi chiedono cosa si prova a essere famosi, e io rispondo niente, sto mentendo. Voi non immaginate lo stordimento, l'ebbrezza di fronte al pubblico che applaude. Su un palco, dietro un leggio, al di qua di un tavolo, davanti a un microfono come stasera.

Non credo di essere la migliore, dico. Solo una persona normale, una donna come tante. Sorrido, inclino la testa. Ho grande fiducia nel genere umano, questo sì, continuo, tutto dipende da noi, coltivare il bene significa raccogliere il bene – e qui sto davvero recitando, mentre le luci dietro la telecamera irradiano la mia persona, facendo di me una figura evanescente. E io guardo dritto, proprio a voi che mi vedrete da casa, tutti voi al di là dello schermo.

Fermiamoci a questo momento preciso, dicembre 2018. Chi sono io, nella sala comunale al cospetto di un pubblico e della telecamera della televisione locale, le cui riprese saranno messe in rete.

Dalla tv ho scoperto di essere diventata bella. Non lo sono mai stata, come il romanzo a cui devo la fama racconta indugiando sull'impatto con la realtà di una mente alterata che si sente splendida, amatissima – me stessa adolescente, me stessa bambina.

Nello schermo contemplo un'altra me che ha vinto l'inadeguatezza. Dimagrita, capelli del castano biondo scelto dal parrucchiere per meglio illuminare il viso. Sebbene abbia denti bianchi, valuto uno sbiancamento. Più bianchi. E poi? Come intervenire per rimanere a questo istante perfetto? Botulino. Ecco chi sono innanzitutto: una persona di successo.

Vado dal parrucchiere. Compro vestiti, scarpe. Chiedo informazioni su possibili sconti: se un personaggio noto (personalità che va a incontri pubblici venendo fotografata magari non singolarmente, magari in gruppo), se quel personaggio decide di farsi vestire da un unico marchio, non avrebbe diritto a un cinquanta per cento, o addirittura a una sponsorizzazione?

Viaggio. Parlo nelle città d'Italia, come stasera in questa sala comunale, dove qualcuno dal pubblico urla: sei grande.

Davanti a una telecamera, dietro un leggio, succede che il pensiero vada a chi non mi ha compresa. Riappaiono i venticinque volti adolescenti, occhi azzurri, apparecchi ortodontici, denti perfetti, lentiggini, guance scavate, guance piene, capelli schiariti dal sole, gonne al ginocchio, gambe snelle, liceo Goffredo Mameli, Parioli, Roma. Sotto il canestro del cortile, la foto di classe che mostra le venticinque creature che siamo e che, di anno in anno – riprendiamo le foto, disponiamole in ordine cronologico –, si trasformano, raggiungono la forma adulta.

Passano trent'anni, e l'ultima in alto a sinistra della foto cambia posizione. Una forza centripeta la spinge al centro, la luce su di lei, e voi in ombra.

Come si diventa scrittori? chiedono dal pubblico. Sacrificio, dedizione, ribatto – la telecamera sempre a riprendere. Aggiungo: insieme a un po' di egoismo a cui questo mestiere spesso costringe, la famiglia per esempio, di certo avrei potuto passare maggior tempo con mia figlia – e su questo, solo su questo, sono sincera.

Quindi riprendo a mentire. Che città sorprendente, voglio tornare, tornerò, prometto a vanvera.

Tutto un fingere, non vedere l'ora di andarsene.

Eccomi, bardata nel cappotto troppo leggero, ad attraversare la piazza deserta nella notte sottozero, ad avvolgere la sciarpa sciolta e risciolta dal vento. Eccomi nella stanza d'albergo, sguardo alla finestra, alla valle col chiarore sul fondo, forse un campo sportivo da cui provengono urla giovanili. Deve essere in corso un allenamento. Se solo mi vedeste, lettori, se mi vedeste ora in pigiama di pile, continuereste ad amarmi?

Col successo ho dovuto allontanare persone.

Parenti e amici di colpo pressanti.

Gente mai vista che sostiene di essermi cugino di secondo grado, zio. Sconosciuti che si complimentano, la storia commovente nella quale si sono identificati, per concludere: vorrei raccontarti la mia infanzia di persona.

Vecchi compagni di scuola. Sì, i ragazzi del liceo Goffredo Mameli, sezione C, sono tornati.

Nei letti, sotto maschi eccitati, io vedo loro, tutti loro che non mi hanno amata, imprimendo sulla mia persona fragile un marchio. Dunque: non è di quei ragazzi, degli ex compagni di scuola, la colpa dell'infedeltà, di me che ho iniziato a tradire mio marito? Non dipende forse dall'adolescenza l'adulto che sei?

"Ho sentito che nevica", messaggio sul telefono.

Raggomitolata sotto le coperte, sparite le urla giovanili in lontananza, rispondo: "Al momento niente neve".

E vorrei aggiungere: vieni a prendermi. A prescindere dal mittente, parlando a una qualsiasi persona in pena per me, maschio, femmina, figlia, amante: siamo ancora giovani, talmente giovani. Tutta questa tenerezza sprecata, quanta tenerezza a sperdersi qua sotto. Portami via (e qui immagino un maschio).

Pensate pure che questa storia sia iniziata il giorno in cui nel letto l'uomo sposato chiedeva: lasceresti tuo marito per me? Pensatelo, sbagliate.

2

La luce del giorno illumina lo sfasciacarrozze – mattina. Altro che vallata sconfinata, urla giovanili. In questa desolazione l'unico rumore è lo schianto di lamiere.

E no, non ha nevicato. Niente neve a Cagliari. Vi chiederete perché la scrittrice di fama, la donna biondo castana dal guardaroba fornito, non sia a New York, a Parigi, bensì a Cagliari.

In questi anni – per l'esattezza tre dall'uscita del libro – ho girato l'Italia forzando la natura sedentaria pur di mantenere il ruolo di primo piano. E che fosse un ruolo di primo piano lo confermava il numero di telefonate a cui non rispondevo, la casella di posta intasata di inviti. Le persone del passato – ripeto, sottolineo. Va bene, di ex compagni di scuola ne era ricomparsa solo una, bastava. Quell'una avrei piegato a valere per tutti.

Ottobre – adesso siamo a dicembre, tenetelo a mente –, Federica (di cui non dirò il cognome poiché trattasi di personaggio reale) rientrava nella mia esistenza con un lungo messaggio nel quale manifestava la gioia di avermi ritrovata, i pensieri che ha avuto per me negli anni. L'orgoglio leggendo del mio successo, vedendo la persona importante che sono diventata, del resto lei lo ha sempre saputo che ero speciale.

Breve cenno alla madre morta, al padre che mi legge sui giornali – anche lui orgoglioso! Va per i novanta, pieno di acciacchi, pover'uomo, la sua non è stata una vita facile.

Se avessi vent'anni. Se il successo fosse arrivato a vent'anni mi sarei ubriacata, drogata, avrei illuso ragazzi, usandoli per brevi periodi allo scopo di accrescere la mia vanità. Sarei stata rincorsa da giovani maschi. Tutti a desiderarmi. Invece ne ho quarantasette e a cercarmi sono cinquantenni alle prese con genitori in fin di vita, se non morti. Gente a cui si infiammano gomiti, bloccano schiene, adulti insoddisfatti, separati, intenzionati a rifarsi una seconda vita, figli a cinquant'anni. Sotto psicofarmaci, stressati come me che perdo sangue. Ciclo sballato, penso, vedendo la macchia. Che vuoi che sia un po' di sangue, lungi da me redigere la storia del mio ciclo, vi basti sapere che non ho mai segnato la cadenza. Colta ogni volta alla sprovvista, macchio lenzuola, sedie. Andando indietro nel tempo risento la voce di mia madre: come una bestia, dice. Parliamo tuttavia di una donna semplice, nonostante la laurea in Medicina – a proposito di sangue, sangue plebeo scorre nelle sue vene: non butta gli avanzi, rifà il letto da sola. E sempre a quel tempo, il tempo del liceo, noi che ci trasferiamo a Roma, esplodeva la vergogna: perché era capitata a me una madre inadeguata, talmente diversa dalle altre madri da portarmi a dire: vengono le mie amiche, chiuditi in camera.

Tu che non hai la pelliccia (ce l'hai, ma non la indossi), che non metti gioielli, e quelli non li hai sul serio – te li sei venduti, scoprirò dopo la tua morte. Tu che un giorno con il buco dei denti caduti – inutile giurare che è stata una dimenticanza, lo hai fatto intenzionalmente –, quel giorno, col buco dei denti che ostini a non farti impiantare, non hai soldi, dici, aprirai la porta alle due ragazze che chiedono di me e, spalancando bene la bocca, risponderai: non c'è.

Una delle due si chiama Federica, e andrà in giro a dire che tu, mamma, sei una barbona.

È con Federica dunque che ho più conti da pareggiare, e è da lei che, a ottobre, arriva il messaggio.

Tutto questo si svolgeva due mesi fa, con me che progettavo di prendere tempo prima di rispondere, magari dopo altri tentativi a vuoto da parte sua. Sensazione a essere ignorati, amica?

Facendo un esame di coscienza la mia intera vita va letta sotto la luce del desiderio di rivalsa. Ogni rapporto, dentro e fuori casa, ha preso la forma del torto da vendicare. Cos'è del resto il romanzo che mi ha dato fama se non una vendetta contro i miei genitori morti? E contro me stessa – se solo voi detrattori foste in grado di leggere le metafore, sforzatevi.

Non che tutto sia metafora. Non lo è lo sfasciacarrozze su cui si affaccia la stanza, non questa città, Cagliari, non lo sono io appena sveglia a raccogliere gli effetti personali da riporre nel trolley. Men che meno la persona che continua a scrivermi.

"Vengo a prenderti in aeroporto?"

"Ho intervista" rispondo.

In quanto scrittrice affermata, collaboro con varie testate giornalistiche, in particolare con un quotidiano nazionale per il quale intervisto personalità come attori e intellettuali. Spesso sono le personalità stesse a chiedere di me.

Ce l'ho fatta – parlo agli ex compagni di scuola, in un discorso interiore che dura da anni, in una fantasia che me li riporta davanti, ricchi, superbi.

Assemblaggi di ormoni addomesticati, niente in loro era fuori controllo, addirittura gli appetiti, al pari dei desideri, tanto da desiderarsi tra loro in un'istintiva difesa della stirpe.

Parlo a voi, di continuo a voi, immaginazione, sogno – capita di sognarvi, piccoli egoisti, quanto eravate pericolosi nell'incapacità di prevedere le conseguenze delle azioni, agire incoscienti, ridere leggeri.

Qualcuno potrebbe obiettare che sono passati troppi anni per serbare rancore.

E allora io – sempre nella fantasia – raddrizzo le spalle, schiarisco la voce, dico no. Impossibile dimenticare, dico. Come cancellare il momento in cui candidata a rappresentante di classe contro due emarginate (Ciriello di Napoli, Curcio diabetica), sicura di vincere, sulla lavagna vicino al mio nome non compare alcuna x?

Quando sarebbe svanito il ricordo di me sulla scalinata della villa cinquecentesca, di me in abito lungo ad accogliere gli invitati per festeggiare i diciott'anni, e non arriva nessuno, quando si sarebbe rimarginata la ferita? (Nella realtà qualcuno si presentò, quindici/venti persone su duecento invitate, e la villa sembrava vuota, e io nei giardini, nei saloni, grassa.)

3

Esiste una foto dove siamo io, Federica, Livia, Simona. Alle nostre spalle Massimo, e un biondo di cui non ricordo il nome.

Abbiamo sedici anni, Livia diciassette. Deve essere un mese prima della sparizione, l'ultima foto di Livia prima della sparizione.

Ma rimaniamo su di me, la me alla sinistra di Federica.

Chi sono al tempo? Un'adolescente di provincia trasferitasi in città per la separazione dei genitori. Padre notabile di paese (avvocato, medico, poco conta), madre nullafacente.

Chi sono io nella scuola del quartiere residenziale popolata da figli di professionisti? Chi se non una ragazzona triste, impaurita, complessata, derisa, rabbiosa, piena di rabbia tanto da urlare: vado a scuola, e faccio una strage, mamma. Se a quei tempi ci fosse stato internet, se il bullismo fosse stato codificato, sarei finita in un carcere minorile, o in un istituto rieducativo, anziché essere l'individuo sgraziato che alza il telefono, compone un numero: tu non mi conosci, io ti amo, dice. O anche: suo figlio si droga. Telefonate anonime. Insulti, dichiarazioni d'amore al di qua di una cornetta.

E per un periodo la persona di fianco a me è Federica.

Provando vergogna per casa mia (vivevamo con la nonna come i poveri, i meridionali), ero io ad andare da lei.

Distesa sul tappeto azzurro di camera sua, Federica sospirava: certe volte vorrei fuggire dall'altra parte del mondo, tipo Alaska.

Giorni, mesi. Noi chiuse in camera.

Era questa l'adolescenza? I film parlavano d'altro: dov'è il sesso praticato nelle macchine? E i tentati suicidi sventati dagli innamorati? Le pasticche di Xanax ingurgitate a barattoli, e i tagli sulle braccia? Dove sono i pericoli di morte, le violenze nei sottopassaggi, le molestie familiari, le pillole del giorno dopo (all'epoca non esistevano)? Dov'è tutta la droga che ci avete promesso? Quando arrivano i maschi in questa nostra storia?

Due adolescenti sovrappeso che ragionavano tra di loro, pativano l'isolamento. Due adolescenti sovrappeso ma di piglio, che sullo stesso tappeto su cui giacciono a lamentarsi si rianimano: se la vita va male a noi, che vada male anche agli altri.

E allora piombare in camera di Livia, recuperare il cartoncino tra i tanti, su cui verificare il luogo della festa.

Cercare sull'elenco il telefono del Circolo.

Alzare la cornetta, comporre il numero: c'è una bomba, evacuate il locale.

Sul tappeto azzurro chiudere gli occhi, immaginare: individui ammassati verso l'uscita, urla che si accavallano. Chi inciampa, cade. Aiuto, implorano vocette infantili, e noi – sul tappeto azzurro, galleggiare –, noi soddisfatte di averli smascherati, ragazzi pavidi.

Queste le scene di disastro che prendono forma nelle nostre menti sadiche quanto innocenti nella misura in cui non accade niente, mai niente per l'intera adolescenza, mentre le feste alle quali non siamo invitate procedono.

I tentativi di ribellione finiscono in un nulla di fatto (fosse già accaduta Columbine, fosse già esistito un capostipite, sarebbe bastato per dare la stura a noi, frustrate, in attesa di esplodere, dateci una pistola, una bomba).

Sul tappeto azzurro incrociare le braccia, sentirsi uguali, almeno tra noi. Emarginate nello stesso modo.

Invece siamo diverse, Federica – vorrei dire le volte che il pensiero va al domani –, tu non conoscerai esclusione, giacché figlia di amici, di amici di amici, quando non di parenti; tu che entri nei circoli, in particolare il Circolo della Caccia a cui a me è impedito l'accesso, e ti siedi sui divani, e, pur tacendo – permetterti di tacere! –, rimani una di loro. Nell'immaginazione scatto in piedi: non fingerti me – dito puntato –, con tua madre che ha tutti i denti, non come la mia, costretta a vendersi pezzi etruschi perché mio padre non le passa soldi rendendoci poveri, di colpo poveri, che ne sai tu di miseria, privazione, futuro incerto, Federica.

Sul tappeto di camera tua io voglio essere te, dammi la mano.

Di certo eravamo nel medesimo spicchio di umanità quando si spalancava la porta, e irrompeva Livia.

Al cospetto dell'essere biondo ammutoliamo – ed è il ricordo più vivido del periodo di amicizia con Federica, delle giornate trascorse da lei. L'apparizione, all'improvviso, della sorella.

La porta si spalanca dopo la festa da noi inutilmente sabotata (scartata la bomba, abbiamo optato per un discreto: buonasera, la mamma della festeggiata è morta, può informare la ragazza?).

Per la precisione la porta si spalanca la mattina seguente, e appare Livia che ordina di non disturbarla, è rientrata all'alba, senonché squilla il telefono, e lei, biondissima, stanchissima: non ci sono per nessuno, dice.

Nessuno nessuno? chiede Federica.

Ma Livia è già scomparsa verso camera sua, giornate di sole, nottate di stelle, amori, cosa mai può succederle di brutto.

Pronto, risponde Federica.

Sono Massimo, c'è Livia?

Gambe lunghe, fianchi stretti, non c'erano state lezioni di danza né ore di sport a forgiare quel fisico perfetto. Tutta natura, seno compreso.

Eccola ancora lì, in quel corpo aggraziato. Livia.

Seno perfetto, dicevamo. Non cotone, non calzini – eravamo noi a inzeppare i reggiseni di calzini. La protuberanza di carne che sobbalzava a ogni movimento era tanto vera per lei, per il mondo, quanto dolorosa per noi appena sbocciate, dai seni piccoli, asimmetrici nel mio caso, così asimmetrici da richiedere camuffamenti, golfoni. Creature in formazione, esseri sghembi speranzosi di assestamento (non si pareggiasse con la crescita – aveva detto l'endocrinologo –, sarebbe da operare. E io nuda che tento di coprirmi con le braccia, sguardo fisso a terra per non vedere nello specchio quella cosa malformata).

Marchiate a fuoco, noi.

Questo eravamo di fronte a Livia, e i residui di lei non facevano che ricordarci la differenza. Capelli biondi nel lavandino, assorbenti interni abbandonati ai nostri sguardi di adolescenti avvezze agli esterni, causa diceria: l'interno sverga.

Bastava entrare nel bagno in comune, o nella stanza. Aggirarsi tra le sue cose, afferrare un oggetto toccato da lei per rammentarci che eravamo figure secondarie; se qualcuno avesse girato un film, saremmo state le comparse della magnifica vita di Livia. Immaginiamo la protagonista che corre su una spiaggia, figuriamocela su un'altalena, capelli al vento, a piroettare su una pista di pattinaggio.

Nessuno a quel tempo avrebbe potuto sospettare come sarebbero andati realmente i fatti, che ci sarebbe stata un'ultima scena. Sempre a quel tempo, se qualcuno avesse voluto pensare alla conclusione della giovinezza di Livia, avrebbe immaginato il matrimonio. Colombe, petali di rosa.

Ebbene no: in questa storia, in questa storia vera, non cade nessun petalo, nessuna colomba prende il volo come inizio di nuova vita.

Nella mia personalissima ricostruzione postuma, come la definivo con chiunque chiedesse di quella notte, l'ultima immagine di Livia è nella luce chiarissima. Chissà quale fu per gli altri. Sorella, genitori, amici, quale immagine trattennero di lei. Per nessuno sarebbe stata la stessa.

Chiudo gli occhi, ogni volta che chiudo gli occhi da allora, Livia è nella luce, e un attimo dopo no. Monito che le cose belle durano poco, pensiamo alle farfalle, prendiamo le farfalle.

Nel suo ultimo giorno da farfalla, Livia esce dalla luce. Esce dalla luce e si avvolge nell'asciugamano.

Federica dice che le questioni con Massimo deve sbrigarsele da sola, lei non è la sua segretaria.

Livia sospira. Sparisce.

4

Ignorando il dermatologo che le aveva proibito la lampada, Livia si era fatta regalare il lettino. La sua era una pelle sottile, i raggi UVA l'avrebbero danneggiata, rischiando di accelerare il processo d'invecchiamento. Voleva forse dimostrare trent'anni? Se aveva intenzione di rimanere giovane a lungo, si esponesse poco al sole, e quel poco con protezione totale.

Al tempo però la parola invecchiamento suonava come allunaggio, guerra nucleare. Di conseguenza Livia non seguì le indicazioni. E poi: sai che significava essere l'unica della scuola a possedere quell'oggetto? Qualcuna aveva la versione facciale, di certo non il lettino, appannaggio esclusivo dei centri estetici. Le amiche la imploravano di usarlo, lei concedeva. Raramente, volendo essere l'unica abbronzata in ogni stagione.

In verità, se mai ci fu minaccia alla sua bellezza, fu proprio il lettino programmato per un'ora, trenta minuti, venti, altri dieci, gli ultimi dieci.

Spesso si bruciava la pelle che cadeva scoprendo carne viva, alla vista della quale la madre si agitava: ti sei deturpata.

A ripensarla oggi era una prefigurazione di futuro.

Livia che giocava con la sua fortuna, che si rovinava e rinasceva più bella, bella in eterno, Livia che attraversava il fuoco alla faccia nostra che dallo stesso fuoco eravamo marchiate (passato un altro anno il seno no, non si era pareggiato, anzi: quello destro era cresciuto. Che faccio? gridavo a mia madre. Sono un mostro, un fenomeno da baraccone).

Se ripenso a Livia, per le volte che ho ripensato a lei in questi anni, la rivedo emergere dal lettino, in quella che per me è l'ultima scena.

La mente corre indietro, più indietro, ogni cosa s'illumina.

Federica spalanca la porta della camera. C'è Massimo, annuncia.

Digli che non ci sono.

Ho detto che ci sei.

Il lettino filtra luce come una capsula spaziale.

Muoviti!

Lo sportello si solleva, e nel bagliore luminescente si staglia Livia. Nella memoria – eccomi, alle spalle di Federica – lei è nuda, sopra e sotto, dove campeggia un cespuglio biondo (ulteriore evoluzione della regola che i figli dei ricchi sono biondi; qui i figli migliori dei ricchi sono biondi anche in mezzo alle cosce).

E dunque, nel suo ultimo giorno da farfalla, Livia si alza dal lettino, prende l'asciugamano, si avvolge con un gesto annoiato. Sospira. Nella mia mente è dopo quell'istante che si perdono le tracce di lei. Che fine ha fatto, si chiederanno in molti. Cosa è successo alla ragazza bionda. Piangiamo, preghiamo.

5

Abbandonato il passato, torniamo al presente, alla professionista affermata che, atterrata da Cagliari, prende un taxi per raggiungere il luogo dell'intervista, albergo cinque stelle, centro storico. Soffermiamoci sulla persona seria che attende l'intervistata, la quale arrivando si scusa per il ritardo, quaranta minuti di ritardo, e lei risponde nessun problema, celando l'antipatia a pelle, definiamola pure insofferenza estesa alla categoria – non degli attori, bensì dei giovani, questi giovani arroganti dal successo improvviso che credono di avere il mondo in mano.

Tratti in comune col personaggio che interpreta? chiedo all'attrice giovane, giovanissima, da vicino ancor di più, talmente piccola da vicino. Chiudendo il collo della pelliccia, avvolta nella pelliccetta rosa lei dice: ho freddo, sono un tipo freddoloso, io.
Comincia a coprirti le gambe, penso. Girare a gambe nude d'inverno, minigonna senza calze – vorrei infierire ma taccio, poiché non è mia figlia.
Proseguo l'intervista, procedo con domande banali – sensazione a rivedersi sul grande schermo? –, a cui seguono risposte banali che avrei potuto scrivere da sola, sarei stata capace di riportare parola per parola tutto ciò che dice

l'attrice evitando di incontrarla, la scontatezza dei ragionamenti, la semplicità insieme alla megalomania di questo essere dal successo passeggero, perché tutto finirà a breve, e nessuno si ricorderà di lei. Ragazzi con la voglia di apparire, attori, cantanti. Meno male che Anita è diversa, sempre avuto ambizioni alte, lei. I complimenti che riceveva da bambina: deve fare l'attrice. E che voce. Sì, mia figlia ha una voce bassa, da contralto, che se avesse voluto. Con i contatti miei e del padre, poi. Invece ha scelto la strada dell'impegno. Cosa vuoi fare da grande? Pediatra, rispondeva. Con gli anni: pediatra, insegnante, magistrato, veterinario – il suo amore per gli animali.

Mia figlia avrebbe potuto essere la ragazza in pelliccia rosa, e non è.

Questa ragazza che, rispondendo alle domande – come ci si sente a essere famosi a ventitré anni* –, afferra un cuscino, lo porta in grembo, e io me la vedo – camere d'albergo –, me la vedo ad aguantare uomini. Sui letti, afferrare teste di maschi e portarli a sé, virago. Alzarsi, aggirarsi nuda, accendersi una sigaretta, benché non fumi – scopro durante l'intervista –, ma nella mia immaginazione esce in terrazzo, si accende una sigaretta. E non è mia figlia, per fortuna non è mia figlia questo essere rosa – fondiamola con la pelliccia, tutt'uno con la pelliccia – che tra una risposta e l'altra rivela di non aver fatto colazione. Certe volte dimentico di mangiare, dice, deve ricordarmelo lei – indicando l'addetta stampa. Non è mia figlia questa creatura a cui chiedo se voglia un tramezzino, qualcosa, e lei fa no con la testa.

In taxi pianifico una telefonata al giornale dove puntualizzare: che non succeda più. Datemi filosofi, intellettuali, gente del mio livello – rapido accenno a riconoscimenti personali quali premi e traduzioni all'estero.

Al posto del giornale chiamo Anita, ben sapendo che non risponderà.

Troppo presa dalle sue cose, la vita londinese di cui il padre conosce i dettagli, è con lui che si confida. E non da ora, già da bambina. Conflittuale con me, accomodante con lui. Certa che io gli mancassi di rispetto (leggi: lo tradissi. Lo capivo dagli sguardi, dalle frasi buttate là – dove sei stata, mamma? Sparita tutto il giorno – sorriso accusatorio). Smodatamente protettiva nei confronti del padre che, nella sua mente, avrei lasciato. Sorvoliamo sul dettaglio che le cose siano andate diversamente.

Di fatto oggi è lui che devo contattare per avere notizie di nostra figlia capace di non rispondere per settimane, ignorando preghiere via WhatsApp: fatti sentire. Spunta blu, nessuna replica. E io che imploro: dimmi solo che stai bene.

Il padre a giustificarla: studia, non ha un secondo. Certo che chiede di te! Perché dovrebbe essere arrabbiata, sei paranoica, arriva a rimproverare. Anche adesso, rispondendo al terzo squillo, lui è così: gentile, presente. Tutto bene, dice, è arrivata ieri sera tardi.

Arrivata?

Capendo che Anita mi ha tenuto nascosta la visita, si affretta a coprirla: non voleva disturbarti, sapeva che eri via.

Io lamento la disattenzione di lei nei miei riguardi, la totale indifferenza.

Cosa ho sbagliato, chiedo.

Il padre continua a sminuire: è di passaggio.

Fuori dal finestrino le auto si accalcano, il traffico di Roma.

Mia figlia è in città e il padre non si è adoperato per farci incontrare. Lei non aveva piacere? Spettava a lui imporlo. Basta premure, basta giustificazioni, ha vent'anni. Sai che facevo io a vent'anni? dico alludendo a chissà quali responsabilità, e sacrifici, io a vent'anni – mentre comunico al tassista il cambio di destinazione. E arrivo sotto casa del mio ex, e pago, e scendo trascinando il trolley dalle rotelle rotte, e raggiungo il portone.

La scena è quella della moglie che coglie in flagrante il

marito. Non è forse tradimento anche questo? Non succede che, cambiando i protagonisti, il sopruso percepito sia il medesimo?

Padri che tradendo mogli tradiscono figlie.

Figlie che si sentono mogli ripudiate.

Padri e figlie in combutta come amanti a discapito di madri.

Chi sono le madri? E le figlie?

Se i ruoli non fossero ambiguamente fluttuanti, avremmo famiglie felici.

Invece eccoci, eccomi. A minacciare via citofono: fatemi salire o chiamo la polizia. E lui a rispondere: guarda che non c'è.

Dimmi dov'è.

Andava da un'amica, poi direttamente all'aeroporto.

Aprimi.

Il portone scatta. Ascensore, terzo piano. Chissenefrega che non è casa mia, che potrebbe esserci la compagna di lui, come effettivamente c'è, chissenefrega se verrò denunciata per violazione di domicilio. Denunciatemi. Denunciatemi, urlo interiore, entrando nelle stanze, arrivando ad aprire gli armadi e controllare sotto i letti (questa è una storia di ragazzi scomparsi. Cercati negli armadi, sotto i letti. A un certo punto uno di loro verrà cercato nella gabbia di un uccellino. Insensatamente, chi lo cerca aprirà la gabbietta. E sarà il momento più basso, l'attimo in cui tutte le ragazze e tutti i ragazzi saranno rimpiccioliti, diventati concetti astratti. O tutti i genitori talmente invecchiati da non badare alle proporzioni, tutti i genitori a un certo punto di questa storia staranno cercando qualcosa di piccolissimo).

Intanto io cerco Anita. Di stanza in stanza, finché non mi accorgo degli occhi su di me.

Vorrei accusare il mio ex e la compagna, è colpa vostra, estendendo la colpa a lei, deve esserci per forza la sua connivenza, un fronte compatto contro di me in quanto madre irragionevole, assente, collerica, tendente alla depressione, aggressiva (figurarsi se lui non le ha raccontato di quando stringevo le braccia della bambina per farla smettere di piangere, affondavo le unghie). In generale anaffettiva, sadica con chicchessia, test: davanti a un tribunale saresti pronta a giurare di non aver gioito delle disgrazie altrui? Di non aver provato un senso di benessere alla notizia che il tale aveva perso il lavoro, che l'altro era stato cacciato dal giornale? Un senso di pericolo scampato: non io.

Negli anni di frustrazione, ricerca di successo, perfino nel successo – a dimostrazione che a cambiarci non sono le condizioni, rimaniamo immutati nella sfortuna e nella fortuna, malevoli –, in quegli anni non avevo forse desiderato, pregato Dio, pur dubitando della sua esistenza (se esiste perché non mi premia?), pregato che la scrittrice che tanto mi somigliava morisse? E se proprio non era possibile la morte, una stroncatura, un modestissimo oblio, Signore.

Pensieri comuni, più comuni di quanto la gente sia disposta ad ammettere, peccato che a essere condannata sia io, sempre io. Troppo comodo – vorrei dire al mio ex e alla compagna in rappresentanza della folla di persone che mi ha giudicata, rovesciare loro addosso la responsabilità dei miei cattivi rapporti con Anita, insultarli, dove eravate, come avete contribuito.

Abbasso lo sguardo. Mi odia, mormoro.

Lui ribatte: no, non ti odia affatto, quindi i soliti discorsi, l'età, un momento critico. La compagna – equilibrata, saggia, lei sì – adesso poggia una mano sulla mia spalla. Anita ti adora, dice.

E io la guardo – che ha questa donnetta più di me? –, la guardo mentre la sua mano indugia a mo' di conforto, la guardo, e vorrei dire: puttana. Puttana a lei che a cinquantatré anni ha fatto innamorare mio marito che io tradivo da anni, lei che ha un mestiere, e una solidità economica, tanto da non poter essere sospettata di stare con lui per interesse, a differenza mia accusata dai parenti di lui – arrampicatrice sociale, dicevano di me. Maledetta puttana, a lei che ha preso il posto mio in un matrimonio quasi perfetto (a mio vedere, oggi).

Primo pomeriggio, interno borghese: indovinate chi è madre, padre, figlio.

D'un tratto la consapevolezza di essermi resa ridicola. Cosa penseranno di me. Cosa dirà lei appena esco. Poveretta, dirà. Moto d'orgoglio, sono una scrittrice. Potrei mostrare le innumerevoli lettere che ricevo, che ho ricevuto, elencare le persone avvicinatesi per stringermi la mano. Bravissima, dicevano. C'è stato un anno in cui tutti sapevano chi ero. Ingigantisco – io io, si dilata una me ideale –, raddrizzo le spalle. Avevo un appuntamento qua vicino, dico.

Il mio ex si offre di darmi un passaggio. È a due passi, rifiuto.

E me ne vado, il trolley dalle rotelle rotte dietro, peso morto, come trascinare a forza un bambino che non vuole venire.

* *Com'è essere famosi a ventitré anni, sensazioni?*
Ci sono abituata, ho iniziato questo mestiere molto presto, da piccola.
Ovvero?
La Mattel cercava una bambina che potesse rappresentare Barbie in carne e ossa. Facevano casting in tutto il mondo.
E?
Ricordo il presidente appena mi vide, avevo sette, otto anni. Mi vede e dice: l'abbiamo trovata.
Dopo?
Sono stata Barbie dai sette ai quattordici anni. Il fatto di sembrare più piccola mi ha permesso di rimanere Barbie per un tempo lunghissimo.

(Nota: stralcio di intervista che, registrato male – la voce in questo punto si allontana, deve essere quando lei prende il cuscino –, sono costretta a sentire e risentire.)

6

Non ho alcun appuntamento, né Federica sta a poche strade di distanza. È lei che ho chiamato uscendo da casa del mio ex, a lei ho detto: posso venire? Nessuna spiegazione da parte mia, nessuna domanda da parte sua. Benvenuti nell'intimità. Nella comprensione che non necessita parole. La sorellanza che nasce unicamente nell'adolescenza e che, nonostante allontanamenti, trent'anni di lontananza, perdura nelle cellule, nel corpo, quanto la giovinezza nella mente, guarda i malati di Alzheimer. Le persone colpite da Alzheimer – i cui comportamenti ho osservato in mia nonna paterna –, guarda loro: perdono la memoria dei fatti recenti, resiste quella a lungo termine, non è raro che il passato diventi presente – babbo, invocava la nonna. Il passato diventa presente come in queste strade che adesso sono quelle dei sedici anni. I glicini.

Dicevamo: dopo trent'anni di silenzio, di noi che ci siamo perse, due mesi fa compare nella casella di posta il suo nome. Dopo trent'anni riappare quel nome e cognome (che non dirò, ripeto, poiché trattasi di personaggio reale).

Dalla prima mail, dall'intenzione di tenerla a distanza, liquidarla in fretta, umiliarla, il piano a un certo punto è cambiato. Non starò a raccontare i passaggi precisi del nuovo avvicinamento, di questo ritrovarsi adulte quando ci eravamo lasciate adolescenti.

In due mesi Federica rientra nella mia vita, presenza fissa. Era lei a scrivermi nella notte di Cagliari, a preoccuparsi: nevica? Ancora lei stamattina a chiedere l'orario della partenza, a proporsi di venire in aeroporto, con me che rispondevo: ho un'intervista, che era quella alla giovane attrice. Perché, non posso negarlo, la rinnovata quanto inaspettata intimità comporta alternanza di piacere e fastidio. Mi ritrovo a riflettere – cos'ho in comune con questa donna dalla vita comoda, con questa persona che non hai mai dovuto faticare.

All'inizio è stato compiacimento. Lei che scriveva: leggendo il tuo libro ho pianto. Io che m'interrogavo: se fosse lei, la vecchia compagna di scuola, l'unica ad avermi capita? Se il risarcimento che tanto ho cercato non fosse altro che questo? Così rispondevo: vediamoci. E ci vedevamo. In un bar, dove la prima cosa che notavo era il seno, alla fine se l'è rifatto, e chissà quando. La immaginavo ventenne a piantare il capriccio, e i genitori ad accontentarla. Quindici milioni di lire (cosa che dico con precisione per le volte che mi sono informata. Per tutti i medici che ho consultato, nella speranza che qualcuno, impietosito dal caso eccezionale, mi facesse un buon prezzo, sarebbero bastati cinque milioni, fossero stati cinque).

Ho immaginato la ventenne che otteneva il seno. Si vestiva aderente, scollata. Coi ragazzi si spogliava, e io?

Che facevo io nel frattempo, cerco di mettere in parallelo le nostre vite.

Io che non ho potuto ricorrere alla chirurgia plastica, io che ne avrei avuto bisogno – si riaccendeva il risentimento. Dov'ero, cosa pensavo. Per chi soffrivi, ragazza di provincia, nello stesso periodo in cui la tua amica sfoggiava il seno nuovo?

Il bruco che diventa farfalla. Prendiamo ancora la farfalla come parametro di esistenza felice. Quindici milioni di lire mi hanno impedito di diventare farfalla, un padre morto che ha lasciato un patrimonio esiguo, una madre angosciata per il futuro tanto da vendere il poco che c'era e investirlo in banca, deposito a trent'anni, per quando avessimo avuto una famiglia noi, io e mio fratello, dando per scontato che saremmo stati incapaci di costruire alcunché con le nostre forze, proiettandoci nel futuro disadattati.

Quindici milioni di lire sono stati la distanza tra me e l'amore.

Dunque, all'inizio, con Federica è stato compiacimento, poi rivalsa. Quindi rovesciamento dove la migliore sono io, io ad avere accesso ai luoghi elitari. Giusto ieri sono andata in Parlamento a salutare degli amici, dicevo dal nulla. Sempre io che se volessi, ma non voglio, potrei entrare e uscire dai circoli a cui un tempo mi era vietato l'ingresso (ricordiamo qui i diciotto anni di Lavinia al Circolo della Caccia, dove – si era giustificata la poverina – l'accesso era riservato ai nobili. Così lei, magnanima, una settimana prima della festa, il ballo, come lo chiamano loro, una settimana prima del ballo aveva tenuto in casa un frugale dopocena per noi normali).

Su questi ricordi riappariva la foto di classe, sezione C, cortile, canestro. Riemergeva l'immagine, la disposizione precisa, io ultima a sinistra. Dal gruppo si delineavano i visi singoli, sono in grado di elencarli uno a uno, nome e cognome, insieme ai torti, o a quelli che ho vissuto come tali, derisioni, offese, ehi Lavinia – mi concentro sulla ragazza accovacciata in prima fila.

Siamo onesti, in una graduatoria di colpe Federica non è in testa. Al primo posto c'è Lavinia. Alla luce degli anni immediatamente dopo la diceria che mia madre fosse una barbona, gli anni di amicizia, Federica perde posizioni, precipita quasi ultima, ultima, se non fosse per il senso di inadeguatezza che ho continuato a provare entrando a casa sua, mentre lei ripeteva: siamo uguali. Se fossimo state uguali – vorrei dire ancora, e ancora, un'eco che parte da camera sua e attraversa trent'anni –, se fossimo uguali oggi avremmo entrambe le tette rifatte.

Poi riecheggiavano le parole sul romanzo, contro gli insulti di parenti, lettori. Rimbombavano: se avessi immaginato, scriveva Federica in quella prima mail. (A spiegarvi i passaggi che hanno portato a oggi, a me che cammino verso casa sua in cerca di conforto.) E io che pensavo che il tuo problema fosse il sovrappeso, scriveva in un trasporto eccessivo che mi convinceva di aver vissuto una tragedia, quanto dolore nella mia infanzia/adolescenza, quanta violenza non capita da voi lettori (flash sui commenti in rete: "magari ce l'avessi io una piscina!", "la scena del fratello che la seppellisce viva in giardino non è credibile"). Ebbene, alla luce di insulti e commenti di lettori e parenti – non dimentichiamo i parenti su cui torneremo in seguito, o forse no, non ne vale la pena –, solo per quella persona del passato ero l'adolescente incompresa. Nessun altro se non Federica, leggendo il romanzo – lo ha riletto, continua a rileggerlo, dice –, si strugge di tenerezza per la sedicenne che sono stata. A ogni pagina – scriveva nella mail – ti avrei voluta abbracciare. Averti davanti per abbracciarti forte.

Ecco cosa ha fatto vacillare i progetti della resa dei conti. Cosa mi ha spinto a incontrare Federica, a farla entrare nella mia vita.

Bar, ristoranti. A una presentazione, a un reading, lei nel pubblico. Ogni volta che da Genova viene a Roma. Lei che mi accompagna a un taxi, facciamo due passi. Quanto ero sola, e non me ne rendevo conto, illusa che il problema fosse la notte, una donna senza marito in una grande casa, figlia lontana, metti che un malintenzionato. Metti un malintenzionato di notte. Fiduciosa che bastasse chiudere la porta a doppia mandata. Quanto ero sola, di giorno e di notte. Nel mio tempo da scrittrice famosa fatto di partenze e ritorni, di me che salgo e scendo da palchi, occupo poltrone di fronte a telecamere, di me davanti a microfoni, applausi. Di me che preparo il trolley, lo disfo. Io che mi siedo sul letto e penso a mia figlia. La vorrei qui, penso.

Mando un messaggio a cui lei non risponde. Il messaggio dice: "Ti servono soldi, amore?".

Sono bastati due mesi per arrivare sulle strade dell'adolescenza, in fuga dal mondo verso l'unica persona presso cui trovo comprensione, perché Federica è tornata a essere l'unica in grado di capirmi.

In questi due mesi, da ottobre a dicembre, non sono mai venuta a casa sua, chiamatela mancanza di tempo, pigrizia, chiamatela paura.

Passato e presente si sovrappongono, glicini, angolo. Quante volte ho girato questo angolo.

Tra i glicini il rosa pallido della palazzina, insieme ai ricordi. Noi che pattiniamo nel corridoio rigando il parquet. La testa lanciata nel giardino del vecchio. A proposito, che fine ha fatto il vecchio del piano terra. Trent'anni.

Trent'anni che non tornavo.

In lontananza una figura rotea su se stessa. Le braccia tese in alto, in questo pomeriggio freddo, dicembre. Rotea facendo svolazzare un palloncino con la scritta I LOVE YOU.

L'ultima volta che l'ho vista – lei che emerge dalla luce del lettino solare, ma è davvero l'ultima?, non mentire, scrittrice, stabilisci quale sia l'ultima immagine della ragazza bionda, scrivilo, confessalo.

In questa giornata d'inverno, di fronte al cancello della palazzina rosa, la figura perde l'equilibro, pencola, non cade.

Guarda chi c'è, indica Federica.

L'altra stringe gli occhi per mettermi meglio a fuoco: chi sei?

Appena la sorella pronuncia il mio nome, Livia mi butta le braccia al collo.

Ho la sensazione che non sappia chi stia abbracciando, stringe fortissimo, talmente forte che lascia la presa del palloncino. No, grida. Disperazione nella voce, e nelle mani protese al cielo. No, ripete, provando a saltare quasi fosse possibile riprenderlo, quando a quella distanza servirebbe volare. A che età capiamo che non possiamo volare? Qual è il momento preciso in cui scopriamo che volare è prerogativa di uccelli e farfalle? (Di nuovo la farfalla.)

L'avevo comprato coi miei soldi, gracchia, le braccia in alto.

Il palloncino ormai lontano, la scritta indistinguibile.

Ora siamo in tre con lo sguardo all'insù. Al puntino che sale, rimpicciolisce, prende una forma mentale differente per me, per Federica, non per Livia che continua a dire: il mio palloncino.

E poi: speriamo che voli su un bel ragazzo, dice.

A questo punto vi chiederete come la creatura speciale, desiderio di un intero quartiere, sogno proibito di almeno tre generazioni di maschi, si sia trasformata in questa donna di cinquant'anni, in questa minorata.

Vi chiederete come e perché.

7

A inizio anni Ottanta si diceva che nei camerini di un noto negozio di abbigliamento, via del Corso, Roma, sparissero le ragazze. Si apriva una botola sotto i piedi, e *puf.* Destinate alla tratta delle bianche, le sventurate venivano vendute in Arabia o Turchia, e di loro non si sapeva più nulla. Opinione diffusa – leggenda metropolitana o no – che Mirella Gregori e la più famosa Emanuela Orlandi avessero fatto quella fine. Entrate nel negozio a provarsi i jeans, botola.

Ammettetelo: quante di voi hanno desiderato essere la ragazza sui manifesti dai lunghi capelli scuri, e dalla fascetta sulla fronte. Ammettiamolo, quante di noi hanno iniziato a portare la fascetta, ora di spugna, ora di stoffa. Hippie, scomparse.

E quante – guardiamoci in faccia, ragazze degli anni Ottanta, confessiamolo –, quante si sono immaginate nelle mani di rapitori dapprima violenti, poi innamorati (follemente innamorati di noi!), che alla fine ci lasciavano andare, e noi, sempre noi – belle brutte, more bionde, ricche povere; il desiderio, la nostra livella sociale –, noi tornavamo a casa nell'applauso della folla. Tornavamo da padri che ci avevano fin lì ignorate, da madri prese unicamente da loro stesse (frivole o depresse, comunque di concentrazione egotica parliamo, la quale generava la nostra uguaglianza, di nuovo. Di nuovo più simili di quel che sentivamo).

Tornavamo.

E da quel momento eravamo popolari, tutti a voler uscire con noi, a contendersi la nostra amicizia, a offrirsi di non lasciarci sole per impedire che riaffiorassero i ricordi della prigionia.

Viceversa, in un secondo momento – Emanuela che non tornava –, quante di noi si sono sognate nella botola, legate, imprigionate. Vendute, uccise. Convincendoci che in fondo casa nostra non era così male, al pari della nostra famiglia, il luogo meno pericoloso (altra certezza che si sarebbe presto sgretolata).

Questa è sì la storia di Livia, ma nel profondo, in senso universale, è la storia delle ragazze di quella generazione. Questa è la storia di Emanuela Orlandi, che, nonostante fossero passati sei, sette anni, poi otto, nove, era ancora nella nostra mente. La parte eroica di noi, quella che fronteggiava i rapitori – nell'angolo oscuro della nostra immaginazione, figuriamoci l'immaginazione come una grotta. Nell'angolo Emanuela eroica, e via via più fragile. Vieni qui, dicevamo nell'intimo a quella parte dispersa. Non piangere.

Pomeriggio davanti alla tv.

Sullo schermo l'immagine di Emanuela, ricorrono cinque anni, la famiglia chiede di non dimenticare, dice la voce del giornalista.

Falla finita, scatta Livia rivolta a qualcuno che non siamo noi, una terza ragazza invisibile, Emanuela, un concetto. La somma di tutte noi.

Sbuffa, chiede di passarle il telecomando. Non c'è qualcosa di più allegro?

Mentre noi palpitiamo per avere un ragazzo, Livia è stufa. A diciassette anni ha avuto ogni tipo di esperienza sessuale, stando alle confidenze che ci fa le poche volte che è a casa.

Vorrei delle emozioni diverse, dice.

Tipo?

Qualcosa che succede solo a me.

Una sera ci avrebbe rivelato di essere andata nel famoso negozio, aver preso abiti a casaccio, essersi barricata nel camerino. Ci rivela di aver chiuso gli occhi, e aspettato che si aprisse la botola sotto i piedi.

In quegli anni, tra le ragazze, serpeggiava il desiderio di diventare qualcuno. Alla stessa Livia non bastavano i confini della scuola, quantunque si estendessero al quartiere, chi non sapeva della bionda che se lo faceva mettere dietro. Era giunta voce anche a noi che scandalizzate giuravamo mai e poi mai, sperando nel profondo delle nostre anime confuse di venir meno il prima possibile al giuramento.

Essere riconosciuta per strada, sospirava Livia.

A posteriori, perciò – l'intera giovinezza di Livia va spiegata a posteriori –, l'uomo fuori scuola che distribuiva volantini le deve esser parso un'occasione.

Cercava la protagonista per un film. Presentatevi al provino, diceva, entrate nel mondo del cinema. Qualcuna timida, qualcuna sfacciata, tutte a prendere il volantino. L'idea della tua faccia sullo schermo di un cinema, e i maschi che non ti hanno amata in platea.

L'umiliazione fu di tante, caduta collettiva. La delusione condivisa quando lo sguardo dell'uomo fissa un punto sopra le nostre teste, e quel punto è Livia.

L'uomo deve pensare che sia lei quella giusta. Folgorato, come capitava a chiunque la vedesse (o forse era un'esasperazione nostra, necessaria per la mortificazione, in giovinezza non c'è spazio per le vie di mezzo, e noi dovevamo rappresentare gli scarti).

Dunque l'uomo sorpassa tutte noi, e va incontro a Livia.

Le parla, si accalora, congiunge le mani a mo' di preghiera. Muove un braccio a delimitare un cerchio. Cerchio di luce al cui centro potrebbe esserci lei – immaginiamo le parole –, diventa la regina.

Da quaggiù, dalla nostra visuale, Livia non pare interessata, portandoci a pensare che a breve gli volterà le spalle come è solita fare coi maschi di ogni età.

Inaspettato ciò che segue: si allontanano insieme, lui non smette di parlare, chissà che non le prospetti l'America, Hollywood.

Lei starà pensando: laido, vecchio. Di sicuro lo pensa, ora arriva l'umiliazione, sta per arrivare, e noi a goderci lo spettacolo.

Attenzione, ragazze degli anni Ottanta/Novanta, attenzione a questo preciso istante: Livia, la migliore di noi, monta sulla macchina dello sconosciuto. Renault blu, avrei testimoniato in seguito.

(All'epoca non valeva la regola di non accettare passaggi dagli sconosciuti. Salire e scendere dalle macchine di tutti. Come Emanuela, vista salire per l'ultima volta su una BMW verde.)

Inutile nei giorni seguenti chiedere a Livia del film, se avesse fatto il provino, come si chiamava il tizio, simpatico?

Entra ed esce da casa esattamente come prima. Non ha orari, sbatte porte. Dice: vaffanculo. Non puoi fare i comodi tuoi, protesta la sorella. Un minimo di rispetto per le persone intorno, vedi Simona, argomenta Federica citando il litigio tra le due, colpa di Livia che a una festa ha baciato il ragazzo della cugina, giustificandosi poi: ha fatto tutto lui. Versione ribadita di fronte alle lacrime di Simona, che no, non l'hanno impietosita.

Considerato quindi il menefreghismo di Livia provato sulla nostra pelle, l'egoismo e l'indifferenza assoluta verso il prossimo, noi non crederemo al plagio di cui molti parleranno successivamente. Dice che l'uomo, lo sconosciuto, l'ha plagiata.

Tra le ipotesi: voleva sfruttarla. Metterla sulla strada a prostituirsi/chiedere l'elemosina.

L'ha drogata.

Tratta delle bianche, traffico di organi.

Non per noi che conosciamo il soggetto, e sappiamo che mai si piegherebbe al volere di un altro, men che meno si presterebbe a essere in uso di qualcuno, quando è il mondo intero che si piega a lei, a cominciare da Massimo con cui sta da tre mesi e che, in corrispondenza della comparsa dell'uomo fuori scuola, viene allontanato. Proprio a causa dell'uomo, verrà ipotizzato sempre dopo, quell'uomo identificato come il responsabile delle sciagure di Livia – iniziale idea della madre. Se quell'individuo non fosse entrato nella vita di Livia, lei sarebbe rimasta con Massimo, non sarebbe successo niente, a quest'ora saremmo tutti al sicuro, ripeterà la madre (versione temporanea, come vedremo oltre, ribaltata a sfavore di un altro colpevole).

A esser onesti fin qui Livia ha avuto amori brevi, e Massimo non fa eccezione, lei stessa sostiene di non essere innamorata al cento per cento (*testuale*), certi giorni sì, altri no.

E Massimo, che nella vita reale è un atletico diciottenne di buona famiglia, pieno di amici, popolare all'interno delle mura scolastiche e non solo, ebbene lui nel campo magnetico di Livia è ridotto a maschio palpitante, pronto a chiedere scusa malgrado non abbia sbagliato, disposto a richiamare quattro, cinque volte finché lei non si concede. Che vuoi? chiede scocciata al telefono.

Se dovessimo individuare lo spartiacque nella vita di Livia senza dubbio sarebbe il provino (ma poi: c'è stato veramente?), a cui sul momento imputiamo cambiamenti estetici quali dimagrimento – al punto che la madre la porta da un medico –, dimagrimento e cespugli sotto le ascelle che con l'arrivo del caldo spuntano dalle magliette smanicate, allusione a ben altro cespuglio. Come sarebbe stato perdersi nell'altro? Immaginiamo orde di maschi a domandarselo. (A quel tempo tutto era richiamo sessuale: spalline di reggiseni, bordi di mutande. Giovani prostitute ai nostri occhi di puritane non per scelta, per nascita – ancora quel marchiate a fuoco.)

Troppo poco, potrebbe obiettare qualcuno in merito ai suddetti cambiamenti, troppo poco per parlare di ribellione. Livia sta insorgendo contro la famiglia? Frattanto evita Massimo. Ci confida di volerlo lasciare. È stupido, dice. Non ha dignità.

Noi crediamo che dipenda dal provino a cui continua a non far cenno, e che deve aver alimentato sogni di grandezza. Socchiude gli occhi: tutti si ricorderanno di me.

Ma rimanere impresse era desiderio comune. Generazione che non voleva essere dimenticata (perché hai cominciato a scrivere, scrittrice? Quale traccia volevi lasciare? Quale messaggio a voi che venite dopo? Ma poi: tu sei in grado di lasciare un messaggio?).

Le telefonate di Massimo aumentano, via via più disperate, nella misura in cui Livia si fa negare. Per quanto lei lo abbia ridotto a un adolescente fragile, lui in pubblico rimane un vincente, tennis, basket, abituato a contestare la sconfitta, quale si profila l'allontanamento di Livia.

Occhei, lo ha lasciato, che abbia almeno il coraggio di dirglielo in faccia, rivendica, e, siccome l'argomento non attecchisce, passa agli aspetti economici: ridammi i regali.

Siamo noi, in un pomeriggio di inizio primavera, zaini stracolmi di roba, tra cui un orsacchiotto che prima di infilare dentro rimiro, stringo al petto, perché gli innamorati regalano pupazzi, e a me nessuno mai.

E quindi siamo noi a raggiungere il maschio ferito per restituire i regali. Siamo noi a palesarci a lui che spera nell'ultima apparizione dell'amata, e invece.

Adesso fermiamo il tempo, dilatiamo l'istante, facciamogli prendere tutte le forme possibili.

Nella nostra esistenza minore mai avremmo pensato di ritrovarci in un bar con un esemplare maschile alla Massimo. La speranza è che ci veda qualcuno, che, di bocca in bocca, salgano le nostre quotazioni: dai margini a quasi centro. Non centro, siamo realiste.

Capelli lisci – a passarci la piastra l'una all'altra –, occhi bistrati di nero Federica, lenti a contatto azzurre io –, dal collo in giù informi. Dal collo in giù giacconi, golf.

Urtiamo sedie, traballiamo verso il tavolo. Chiudiamo gli occhi, facciamo che l'adolescenza è un teatrino di teste mozzate. Se fosse un teatrino di teste mozzate.

Nelle fantasie successive, la rielaborazione compulsiva di quel momento quale termine ultimo dell'emarginazione e inizio di un inserimento sociale, ebbene, nelle fantasie elimino Federica, entro ed esco da sola dal bar. Capelli lisci, ricci, tacchi, minigonna, fuseaux, magra, anoressica, occhi azzurri. Massimo che dice: i tuoi occhi abbagliano.

È questo il momento esatto – reale, rielaborato, distorto, comunque occhi azzurri, la mia vera identità sono i finti occhi azzurri persino quando non metto le lenti a contatto, persino con gli occhi marroni, la vera me ha lo sguardo ceruleo –, è questo il momento in cui avviene la trasformazione. È qui che la ragazza di paese diventa cittadina, aristocratica (se dal bar corressi al Circolo, mi farebbero entrare, è il tuo tempo, il tempo prima della mezzanotte, Cenerentola di provincia).

L'attenzione della gente su di me/noi. La senti, Federica? Torniamo alla realtà, torniamo a essere due. Senti l'elettricità dell'istante speciale che potrebbe durare in eterno e renderci immuni?

Da qualche parte nel mondo farfalle sbattono le ali, sbocciano fiori.

Un cerbiatto cade ferito.

Da qualche parte nel mondo scocca la mezzanotte, e Massimo annuncia: Livia è incinta.

Luce accecante su di lei, buio su di noi.

Capito perché non vuole vedermi?

La gravidanza è il motivo per il quale lo ha lasciato, come se la colpa fosse sua, si lamenta, quando è cinquanta e cinquanta, dice, chi è che voleva farlo senza preservativo?

8

Le cose precipitano, non chiedeteci come, ignare, inconsapevoli, vergini vergini, noi non capiamo. Ipotesi 1: a scopo vendicativo Massimo parla col padre di Livia, rivelando che la figlia è incinta. Ipotesi 2: per l'aborto serve l'autorizzazione di un genitore, cosa che costringe Livia a confidarsi con il padre che lo riferisce alla madre (nella loro famiglia i rapporti di forza sono invertiti). Ipotesi 3: Imelda ascolta una telefonata tra Livia e Simona in cui parlano dell'aborto, e corre a comunicarlo ai genitori (lontani i tempi in cui i filippini non capivano l'italiano).

Sia quel che sia, Livia parte. Siamo a maggio, lei lascia la scuola in anticipo, non intaccando l'esito finale, promossa (fosse successo alla ragazza di provincia, figuriamoci, ma andiamo oltre).

L'estate Federica viene al mare da me, ci perdiamo nelle fantasie per riempire il vuoto di informazioni riguardanti Livia.

Sta in collegio, dicono i genitori, tua sorella va rimessa in riga. Mai un riferimento alla gravidanza, tanto che cominciamo a dubitare: potrebbe essere un'invenzione di Massimo. Oscilliamo tra vero e falso.

Quando è vero ne parliamo stese al sole.

Secondo te si sente dolore?

Tipo appendicite.

Cioè?
Pizzicorio.

Intanto ci poniamo l'obiettivo di diventare bionde, più bionde. Federica sostiene che cospargersi i capelli di birra faccia schiarire. Compriamo lattine di birra che nascondiamo sotto il letto.

Luglio, agosto, arriva settembre, insieme a Livia che entra in casa, nessun cenno di saluto, nessuna parola. Porta che sbatte.

La madre scuote la testa: peggio di prima. Lasciandoci intendere che i mesi di collegio non siano serviti – la versione ufficiale continua a essere collegio.

E ha ragione: noi stesse constatiamo che Livia è uguale a prima, eccetto le ascelle depilate.

Nondimeno, oltre ai silenzi, all'isolamento con il walkman a tutto volume nelle orecchie, intuiamo sofferenza. Cosa ti manca, Livia? ci verrebbe da chiedere e non chiediamo. Cosa rimpiangi, rincorri, ricordi, rivendichi? Il film, il bambino? C'è mai stato il bambino? E nel caso: maschio o femmina? Chi era la creatura a cui hai rinunciato.

Malgrado la rabbia che suscita in me la ragazza bionda – e qui parlo al singolare, poiché esserle sorella deve significare qualcosa in più, più tenerezza, più violenza –, vorrei scuoterla. Ehi, tirandola fuori dal lettino solare, guardati intorno. Occhei, forse hai perso un film, un bambino, ma hai idea di quanti film e bambini hai ancora davanti? Hai la minima idea delle esperienze che ti aspettano? E poi, con stizza: puoi vagamente immaginare le volte che ho desiderato essere te? I tuoi capelli, le tue gambe.

Cosa avrei fatto se fossi stata lei per un giorno, datemi un solo giorno, basta un giorno. Come ti saresti comportata, fanciulla di Maremma?

Neanche il tempo della risposta che non vorrai più essere lei.

Si addensano nuvole come blocchi di cemento, il vento solleva cartacce, buste di plastica. Il sole si raffredda. Il cielo incrinato dai fulmini viene giù a pezzi d'acqua densa. Nel buio trasparente delle sere primaverili. L'estate evapora. Mucchi di foglie turbinanti. Arbusti trascinati dal vento. Le giornate si allungano. L'estate torna. Il sole batte a picco sulle nostre teste bionde.

Nessuno vuole più essere Livia.

Stesso destino di Emanuela, un attimo prima migliaia di noi a desiderare di stare al suo posto, un attimo dopo nessuna.

Questa è la storia di Livia, di Emanuela, di tutte le ragazze cadute nella botola. Quanto era facile sparire, allora.

Alla vigilia della sparizione di Livia, c'era stato un periodo di pace, di quasi serenità fra noi. Volete provarli? chiede sulla porta di camera. E parla dei jeans, con Federica che si lancia, e tenta di indossarli, peccato che si fermino alla caviglia, hai voglia a tirare. Sono grassa, si lamenta, allungando, forzando. Poi guarda la targhetta, 8/9 anni c'è scritto, e non capisce. Quindi la sorella si affretta a riprenderli. Voi siete belle così, dice. E anche: se fossi maschio m'innamorerei di voi.

(Vale la pena segnalare che al tempo le adolescenti anoressiche compravano da Benetton 0-12. Era, quello, una specie di traguardo.)

In seguito, ricordandomi di come Livia sbatteva veloce le palpebre, di come tratteneva il respiro, potrò dire che aveva paura.

Al pari nostro, in quel periodo, non usciva di casa. Mentre a lei era impedito dai genitori, a noi nessuno lo impediva. Chissà se anche lei piangeva in camera, chissà se scriveva sul diario.

Sui nostri le stesse scritte dell'anno precedente, e di quello prima ancora: STRONZA, in lilla. CICCIONA, in rosa.

Chi siamo noi, cadute in nessuna botola.

Chiudi gli occhi, e torna indietro, diciotto, diciassette. Hai sedici anni, scrittrice.

9

Non mi riconoscevo nei familiari. Madre, nonna, fratello. Non mi riconoscevo nella modestia, nel primo piano della palazzina di via dei Monti Parioli. Nella mancanza di sfarzo – sia pure simulato, simulatelo! Datemi una pelliccia, un cigno, qualsivoglia segno di distinzione. Una molotov con cui fare una strage. Se non posso primeggiare, ho tuttavia l'opportunità di eliminare chi mi rende inferiore, una a caso. Strage a scuola in cui muore un'unica persona, Lavinia (dovendo scegliere – c'è ancora timidezza nelle fantasie di devastazione, ancora non so vedermi tra un cumulo di cadaveri –, scelgo lei).

Rifiutando l'identificazione coi miei familiari, passo più tempo a casa di Federica che nella mia. Rimango a dormire, conversazioni nel buio: è vero che se lo prendi in bocca ti vengono i denti gialli? Progetti: imparare a vomitare col dito in gola.

Rigirandosi nella brandina: sai cosa vorrei adesso? Un animale tutto mio, un cucciolo di qualcosa.

Inverno, primavera. Nubi a coprire la luna. Il sole splende opaco. Il cielo sfuma biancastro. Si addensa nero. Nel buio trasparente. L'estate evapora.

Nella stanza di Federica scorrono le notti che sono la mia adolescenza. Ci addormentiamo senza dirci buonanotte, come entrare nel sonno per mano. È questa l'età in cui gli incubi diventano più vividi, e si ripetono nelle fattezze di scene primarie a risalire dall'inconscio. Come vi diranno psicologi e psicoterapeuti – siamo una generazione di ex giovani psicanalizzati –, episodi dell'infanzia, seppure insignificanti, possono rimanere impressi nella memoria, e riaffacciarsi in forma di simboli, quando non addirittura ripetersi identici, lasciandovi nel dubbio se siano eventi successi realmente o no.

Uno dei miei sogni ricorrenti riguarda la figura paterna. Lui sopra di me a immobilizzami per i polsi, io che voglio gridare, la voce che non esce. La convinzione che mi abbia fatto qualcosa è troppo reale e dettagliata per essere semplice immaginazione. La memoria cancella i ricordi dolorosi per istinto di sopravvivenza, e questi riemergono inaspettatamente nel sonno. Quindi sì, mio padre ha approfittato del mio corpo bambino, adolescente – pedofilo, maniaco. La storia di famiglia si ripete, lui come il bisnonno, io come la nonna. Mio padre ha abusato di me. Deve essere successo, facciamo che sia successo. *I love you, daddy* (in caso contrario, non giudicatemi, lettori. Lo stesso Freud accusa il padre di seduzione incestuosa per poi ricredersi dichiarando di non ritenere più valida la teoria, piuttosto il contrario: una sua tensione sessuale verso il genitore).

Tutto ciò per dire che in quel tempo realtà e sogno si confondono, e quello che segue è reale fino a un certo punto. O meglio, pezzi mancanti compensati da aggiunte immaginifiche, e fantasie che nella ripetizione diventano reali, illusioni ottiche, vere e proprie invenzioni. Non sono una persona attendibile.

Ma andiamo a quella notte. Senza luna, luna piena. Il vento incurva le chiome degli alberi, non un filo di vento, sulla strada un arbusto che pare uno scheletro.

Ciascuno di noi, a distanze e intensità diverse, dopo tenterà di ricostruire l'accaduto, trovando una collocazione personale, quasi fosse indispensabile esserci stati.

Considerata la gara successiva ad avere un ruolo, per una volta la fortuna è dalla mia.

Quella notte, in quella casa ci sono io che, a differenza di Federica, ho il sonno leggero. Potrei essere perciò l'unica testimone. Mettiamo il caso di una famiglia in cui tutti dormono – letteralmente dormono – e io a vegliare.

Mi giro e rigiro, vedo cose, figure che si animano – condizione, come scopro da adulta, legata all'attività onirica dell'adolescenza, alla corteccia cerebrale eccetera (arriviamo alla conclusione che essere adolescenti è faticosissimo). Vorrei svegliare Federica – parliamo un po'–, implorare.

Invece mi alzo.

Non ricordo di essere andata in cucina, ma potrei. Potrei aver aperto il frigo, preso una mela prima di vagare nella casa vuota.

Potrei essermi rannicchiata sul divano del salotto a guardare le luci della città, oppure essermi bloccata a pochi metri dalla vetrata oltre la quale si stagliava una figura. Cosa ti ha spaventata, vergine di provincia? Una tigre, un leone – in questa casa esisteva la possibilità che s'introducessero animali feroci. Ricordo un barrito.

Torna indietro, scrittrice, torna alla notte di tenebre della tua giovinezza, è forse racchiuso lì il segreto di tutto? Chi sei, ciò che ti terrorizza. Conta le volte in cui nei tuoi libri compare una bambola bionda. Figura evanescente, te stessa, riemersa per dire: è colpa tua.

Sei tu la ragazza oltre il vetro, tu, un'altra, voi insieme, è bastata un'estate a rendervi tutte bionde, in una gradazione da Livia a te, passando per Simona e Federica. Vergini suicide, dove per talune è inesatto vergini, per altre suicide.

Siete voi, né vergini né suicide, camicia da notte rosa a ondeggiare intorno al corpo. Tira un vento leggero, albero di limoni.

A quelle ragazze tu potresti tendere una mano.

10

Dov'è, chiede una voce, mentre si accende la luce. Dove l'avete nascosta?

In vestaglia, la madre scuote la figlia che stenta a svegliarsi. Dimmi dov'è.

Chi? biascica Federica.

Pigiama, capelli elettrici, ci alziamo, con la madre che continua a domandare dove sia la figlia.

Tira giù le coperte di Federica, come se qualcuno ci si potesse nascondere, qualcuno delle dimensioni di Livia. Si china per guardare sotto il letto. Quindi l'armadio, va dritta all'armadio, lo apre, prende a frugare tra i vestiti appesi, anche lì: come se fosse possibile.

Federica chiede se abbia visto nel bagno rosso. Ho cercato dappertutto, risponde. E allora, afferrando la figlia minore per un braccio, schizza fuori dalla stanza ed entra in quella di Livia, dove la lampada rosa accanto al letto disfatto emana una luce tenue. Lo fa apposta, dice la madre, ce l'ha con me.

Federica indietreggia quasi fosse colpa sua, e in effetti la madre se la prende con lei, si volta a guardarla e, come vedendola in una nuova luce, dice: cosa le hai fatto? Supplicando: dimmi dove l'hai messa.

Questi avvenimenti accadono tra le 7.10 e le 7.40 del mattino del 23 ottobre 1988. Ho cercato di essere fedele ai fatti, o almeno al ricordo, essendo passati tanti anni da quel giorno, e non essendomi mai confrontata con Federica in merito all'episodio che sarebbe rimasto tabù. Nei limiti perciò di una ricostruzione a distanza, ho tentato di riportare quello che successe prima che venisse ritrovato il corpo. Perché c'era un corpo, un corpo che, mentre la famiglia si agitava, giaceva nella vegetazione di un rigoglioso giardino.

Ma al momento nessuno sapeva.

Anzi, nella testa della madre passano altre ipotesi quali fuga, rapimento. La figlia maggiore è stata sequestrata, tratta delle bianche, una ragazza del genere... bionda, occhi azzurri.

Dobbiamo chiamare la polizia, dice dal centro del salotto, questione di ore, sai cosa fanno con le ragazze, le portano all'estero. Nascoste nei bagagliai per passare la frontiera.

Il padre annichilito dice: sì. Tanto annichilito lui quanto agitata lei, che non riesce a stare ferma, deve parlare con gli amici di Livia, forse qualcuno sa, qualcuno deve sapere.

Sparisce nel corridoio, per tornare con l'agendina della figlia tra le mani, cercare un nome, alzare la cornetta, comporre il numero, e sentirsi dire dall'altro capo che Massimo è a scuola – è giorno di scuola, già, cognizione del tempo perduta. Chiedere allora se per caso Livia sia lì, se abbia passato la notte da loro, implorare – senza lasciare spazio all'interlocutore di rispondere –, implorare: qualsiasi cosa si sistema, purché torni.

Di tutti è certo la madre la più angosciata. Il padre, testa tra le mani, non riesce a compiere un movimento. Così Federica, in un angolo, a desiderare di sparire – anche lei, solo lei, nella misura in cui passano le ore, della sorella non si hanno notizie, e cresce il senso di colpa, s'ingigantisce, perché non lei al suo posto.

Immaginiamo un uomo incappucciato che nottetempo s'introduce in casa (sebbene non risultino segni di effrazione), immaginiamo quell'uomo intenzionato a sequestrare una delle figlie, e decidersi per la grande semplicemente perché sola in camera. Sono io, la mia presenza, a salvare Federica. D'istinto ci prendiamo per mano. Lei stringe, si aggrappa per non precipitare, dove – sottoterra, botola.

Via via si avvalora l'idea del rapimento. La madre, ragionando ad alta voce, non siamo stati prudenti, dice, dovevamo comprare un'utilitaria. E anche: lei che ogni giorno va dal parrucchiere, per non parlare delle pellicce. Non sono questi tempi di pellicce, gioielli, elenca.

E nell'elenco dei privilegi io penso che nessuno potrà rapire me, ed è un rimpianto. Datemi un diadema, un cigno.

Di nuovo la madre scompare nel corridoio, per riapparire vestita, con indosso la pelliccia (sì, la pelliccia). Andrà a scuola a parlare coi ragazzi, annuncia. Uscendo raccomanda al marito di non muoversi.

Perché?

Potrebbero telefonare.

Difatti qualcuno chiama. Arrivano telefonate a cui il padre risponde con impeto.

(La parrucchiera che ricorda l'appuntamento alla signora, probabile che lo abbia dimenticato. E poi – la telefonata successiva, in questa casa il telefono squilla spesso – il custode della villa al mare che informa di aver trovato una finestra rotta, quella della mansarda, facile sia stato un gabbiano, e il padre insensatamente, disperatamente, lo interpreta come un indizio: la figlia potrebbe essersi nascosta lì, introdotta attraverso la finestra, terzo piano – potrebbe? No che non potrebbe, nessun essere umano potrebbe. Eppure lui, il padre, oltre qualsiasi ragionevolezza, obbliga il custode a ispezionare ogni stanza, ogni angolo, alla ricerca di che? Non volendo dare troppe informazioni, rivelare che Livia non si trova, in cerca di cosa, ingegnere? Controllare se manca qualcosa di valore.)

Frattanto la madre irrompe nel liceo, fa uscire i ragazzi dalle classi (questo la dice lunga su ciò che accadeva nelle scuole in quegli anni, la facilità con cui si entrava, usciva, appariva e scompariva).
Per primo punta Massimo. E come ha fatto con Federica gli muove accuse. Chiede dove abbia nascosto Livia, si sentono tanto furbi loro, tanto grandi. Dicesse subito dove la tiene.
Dalla scomparsa, la figlia ha assunto forme diverse: ora bambola che può essere spostata, ora oggetto piccolo da nascondere in un cassetto, sotto il cuscino.
Cosa avete combinato, continua la madre nel corridoio davanti a ragazzi e professori. Massimo giura di non sentire Livia da settimane, lei gli ha tolto il saluto, tutti possono testimoniarlo, Federica per prima può dire le volte che ha chiamato e Livia si è fatta negare. Sono mesi che lui non sa niente di lei, dove va, chi frequenta, anche se con certezza può dire che esce con gente grande, non di scuola. L'hanno vista entrare in un albergo del centro, chi l'ha vista però non era sicuro al cento per cento che fosse lei. Lei o qualcuno di molto simile.
E in un crescendo di furia: me la pagano. Li ammazzo, giuro che li ammazzo, inducendo la madre a credere che conosca i colpevoli.
Dimmi il nome, implora.
Ma lui si affanna a lanciare minacce a vuoto, a giurare di ritrovarla, ora va a cercarla, mentre gli amici provano a fermarlo. Si divincola, lasciatemi. In maniche di camicia, infila le scale, sparisce.

Dall'altro lato del quartiere, noi. Disorientate, confuse, vergini, bugiarde, una delle due più bugiarda dell'altra. Rientriamo in camera di Livia, dove la lampada è rimasta accesa, il letto sfatto, solo che adesso arriva la luce dalla finestra, giorno.

Frughiamo tra le sue cose in cerca di indizi. Pupazzi – ricordate? Gli spasimanti regalano pupazzi. Vestiti, mutande. Reggiseni di tanti colori, uno rosso. Immaginiamo la notte della vigilia. Immaginiamo la bionda, gesti lenti (è già uscito *9 settimane e 1/2*?), immaginiamola coi capelli sciolti, occhi fissi all'uomo sul letto. Buon Natale.

Questo fantasma bellissimo si aggira nella stanza, nel quartiere. Se non la ritrovano, penso, la ricorderemo così. Nuda, anche per chi non l'ha mai vista, io l'ho vista. Nuda, per averla sempre immaginata.

Molto dopo, finalmente al sicuro, molto dopo, a casa, tolgo la maglietta, sfilo il reggiseno, roba elastica da farmacia, evitando di alzare gli occhi allo specchio, anni che non mi guardo. Prendo l'altro reggiseno – se mai qualcuno dovesse perquisirmi, direi: volevo un ricordo, un piccolo ricordo di lei. Lo indosso, fatico col gancio. Eccomi. A destra la coppa è semivuota, a sinistra straripa. Da una parte cotone a riempire, dall'altra mano ad appiattire. Dovrei essere questa – alzo gli occhi –, la ragazza dal seno pari, dal reggiseno rosso. Dalla mano sul cuore. Operatemi.

Ma riavvolgiamo il nastro – in seguito scoprirete che esiste davvero una registrazione –, riavvolgiamo il nastro alla mattina della sparizione.

Il salotto popolato di persone, padre, madre, amici stretti, parenti.

Immaginiamo di contro la piccola folla che presidierebbe casa mia. Raffigurazione di famiglia nel caso di mia scomparsa, crocchio di parenti da parte di madre sfilano nella testa. Zio assicuratore, zia insegnante d'italiano in istituto tecnico. Nel salotto al primo piano di via dei Monti Parioli 49/a, divani beige – vista palazzo di fronte.

Ritorno alla realtà, alla casa dalle grandi vetrate – tetti, cielo.

La madre chiede di cercare una foto di Livia, vuole andare per strada, mostrarla alla gente. Mormora barcollando, subito sostenuta dalla zia. È in questo istante, in questo preciso istante che nota la chiazza sulla moquette.

Cos'è? Si china, tocca.

Se ci fosse un gatto, un cane. Se si potesse dare un senso a questo episodio, che possa essere un indizio – il rapitore per sfregio? La stessa Livia?

E d'un tratto: un gorilla? dice la madre. Se l'avesse presa un gorilla, insiste, mentre i presenti tacciono imbarazzati.

Non c'è risposta, gli eventi incalzano, e a breve nessuno penserà più alla chiazza, chi mai nella notte (ieri non c'era, assicura Imelda), chi mai nella notte si è introdotto in casa a pisciare sulla moquette.

E io estranea, la mano nella tasca a stringere il reggiseno rosso. Devo andarmene, sussurro a Federica.

Rimani, dice lei afferrandomi per il braccio.

So che significa la stretta, tutto quello che significa.

Solitudine, futuro sconosciuto che incombe, quel sovrapporsi, fondersi, sommarsi per formare un unico individuo forte, meno spaurito, leggermente meno, meno di chi. Di me, di te. Delle ragazze della botola, di Livia, di quel che resta di Livia tra i cespugli del giardino al piano terra della palazzina rosa del quartiere signorile.

Dalle vetrate illusione di primavera. Il celeste del cielo, il giallo dei limoni. L'arancione di quella che sembra una farfalla, e invece – mettendo meglio a fuoco, mettiamo a fuoco – è una macchia di insetticida.

La madre si lamenta, prospetta il peggio, questa figlia, dice, come se non ne esistessero altre. Ma poiché esistono, come se quella fosse il frutto migliore. Basterebbe aprire l'armadio rispettivamente di Livia e di Federica per verificare le differenze, toccare con mano quale delle due sia la prediletta.

Il reggiseno nella tasca palpita.
Cuore rosso di tutte noi.

Rianimatosi, il padre annuncia che vuole andare alla polizia, non riesce ad aspettare le ventiquattr'ore. Andare a spiegare che si tratta di un caso particolare, una ragazza speciale che va cercata subito.

La madre scoppia a piangere, ammirevole l'essersi trattenuta tanto, piange e dice che quella figlia l'ha sempre fatta disperare, anche questo, cosa credete, è un dispetto nei suoi confronti (alternato alla teoria del rapimento), Livia vive in competizione con lei, forse perché sono simili – inizia il percorso di identificazione –, quanto sono simili nel carattere e nel fisico, le occasioni in cui Livia le ha rubato i vestiti, hanno la stessa taglia – piange la madre, e sta piangendo se stessa, esiste un momento nella perdita di una persona amata in cui si piange se stessi. Per i noi perduti con lei. La madre piange quando suonano alla porta, e scatta in piedi, nella convinzione che sia tornata.

Pochi secondi per scoprire che non si tratta di Livia, bensì del Generale del piano terra – quello che per noi è il vecchio.

Da qui in poi tutto si svolge confusamente.

Scendiamo le scale dietro alla madre, al padre, agli zii – vago ricordo di affollamento.

Una voce rassicura: sta arrivando l'ambulanza. È morta, dice la madre, ditemi la verità.

Scendiamo, incespichiamo, quasi a perder l'equilibrio, non lo perdiamo, mano alla ringhiera, fino a giù. Sirena in lontananza. Nell'atrio persone nebulose, corpi a ostruirci il passo che ci spingono indietro, la sirena dell'ambulanza più vicina, mentre Federica si dibatte tra le braccia di una figura, urla: lasciatemi. E anche: è mia sorella.

Potevano prendere la sorella minore. Immaginiamo Federica tra i cespugli, immaginiamo una ragazza meno speciale di Livia, altezza nella norma, peso al di sopra della media. Immaginiamo un corpo qualunque tra la vegetazione di un giardino signorile.

Non sarebbe stata forse una perdita minore?

Adesso tuttavia è quel corpo qualunque, con forza inaspettata, che riesce a sgusciare tra la gente, farsi largo a pugni e calci – io dietro, o così mi pare, a questo punto della storia siamo un'unica ragazza forte.

Nell'atrio del palazzo Federica sguscia, s'immette nel giardino, corre, senonché il padre la blocca, impedendole di andare oltre.

E lei, aggrappandosi alle sue spalle, in punta di piedi, affannata, ansimante, lei guarda. Laggiù, tra i cespugli, la madre accasciata su qualcosa, la madre gettata a peso morto su un gatto un cane cosa. Riuscendo a scansare il padre, Federica raggiunge la madre e guarda quello su cui è riversa. Sua sorella, in camicia da notte.

Camicia da notte rosa.

11

Secondo la ricostruzione: tra le tre e le quattro del mattino. Giorno 23 ottobre. Temperatura dodici gradi. Approfittando del ponteggio per la ritinteggiatura della facciata della palazzina, Livia tenta la fuga. Sempre da ricostruzione, inciampa (perdita di equilibrio/malore/vertigine), precipita. A salvarla è il tendone del patio del piano terra, senza il quale sarebbe morta (da qui colui che noi chiamiamo il vecchio assurge alla figura di salvatore).

Il vecchio dirà di non aver sentito nulla. Nessun rumore. Tranne, intorno alle cinque/sei del mattino, un lamento, un gemito da lui scambiato per il guaito di un animale. Una scimmia, ha pensato.

Nell'impatto a terra, non considerando le fratture – gamba destra, legamenti del ginocchio destro, femore, tibia, da referto medico –, il fatto di maggiore gravità è la perdita di conoscenza.

Se Livia avesse riportato ferite, nel lasso di tempo tra la caduta e il ritrovamento, sarebbe morta.

Così nel caso di emorragie interne.

Benedetto tendone, benedetto vecchio.

Ancora da ricostruzione: probabile che rinvenuta, allo stremo delle forze, non sia riuscita a chiedere aiuto. Oppure, domandatevelo tutti, non ha voluto. Ragionate per un istante: Livia decide di lasciarsi morire?

Non sarà una domanda esplicita, tanto meno collettiva. Bensì della coscienza, dubbio di coscienza che tormenterà ciascuno di noi. Un tarlo che farà morire gli adulti prima del previsto, e trasformerà noi in vecchi.

Ma ciò avverrà nel tempo, per il momento siamo troppo vicini.

Per adesso facciamoci largo tra i glicini, mettiamo i piedi sul terreno umido (solo ora mi accorgo che Federica è scalza), pestiamo qualcosa di appuntito, non sentiamo dolore, i nostri sensi sono oltre, un paio di metri oltre il nostro corpo, già in mezzo alla vegetazione. Accucciamoci, distendiamoci. Proviamo cosa si sente, cosa deve aver sentito lei durante quelle ore, respiriamo, respiriamo, chiudiamo gli occhi. Rannicchiamoci.

Riguardo ai motivi, l'ipotesi maggiormente accreditata – scartato il rapimento – è che Livia avesse un appuntamento e, dato il divieto dei genitori, abbia pensato di usare il ponteggio, in quanto mai si sarebbe arrischiata a passare dalla porta d'ingresso nonostante tutti dormissero, poiché solo il pensiero che madre/padre si svegliassero dando luogo a discussioni la inibiva. Lei voleva uscire.

Scalza? In camicia da notte? obietta qualcuno.

A meno che, ipotizza la madre, non fosse drogata. Nel bisogno di addossare la colpa a terzi, di scaricare la rabbia su una persona reale. Se l'avessero drogata? Se l'avessero spinta?

Sospetto, via via certezza.

Se dal ponteggio fosse salito qualcuno? Tipico di Livia invitare ragazzi e chiudersi in camera. Tipico suo fare sesso a pochi metri dai genitori, al di là di una porta chiusa. Come dimenticare quell'estate al mare. Come dimenticare la notte in cui la madre trovava davanti al frigorifero aperto uno sconosciuto in mutande, il quale vedendola si giustificava:

avevo sete. E Livia, questo va ricordato, svegliata, accusata, rispondeva: non lo conosco – cercando di rimanere innocente agli occhi di mamma e papà.

Perché alla fine, dietro il fare sfrontato, Livia è una pavida. Dice dice, ma non farebbe niente.

Insomma, non è da lei fuggire, garantisce la madre, di testa sua non avrebbe osato, responsabile (da pavida a responsabile – ha inizio la trasfigurazione della figlia, la manipolazione di carattere e identità come si fa coi morti per idealizzarne il ricordo). Probabile, argomenta la madre, che si fosse data appuntamento con un ragazzo e, nel momento in cui lui ha chiesto di fuggire, lei si sia opposta – sempre in base al carattere in via di trasfigurazione della figlia – nonostante in precedenza avesse accettato. Probabile che al telefono – immagina una telefonata tra la figlia e lo scapestrato – avesse detto: sì, fuggiamo, e poi di fronte alla possibilità reale si fosse tirata indietro. Torniamo così al carattere di Livia, per la precisione a quello che la madre descrive: apparentemente ribelle, in verità ubbidiente. Figlia rispettosa, timorosa, legatissima alla famiglia (santino compiuto, ora può morire). Faccia a faccia con l'irresponsabile, lui sì ribelle, chiunque esso sia, Livia ha avuto un ripensamento, l'attimo di lucidità nel quale capisce che è una follia, ma il pazzo, il drogato, certamente drogato, non ci sta, e tenta di farle cambiare idea, discussione, probabile colluttazione, spinta.

Essendo Massimo a casa a dormire, testimoni lo confermano, la madre tira fuori l'uomo davanti a scuola. Chiede che venga rintracciato, dice: voleva rapirla, farle del male. Sarebbe finita come Emanuela Orlandi.

Elementi comuni col caso Orlandi:
 – il soggetto è stato avvicinato fuori da scuola con la promessa di un lavoro (i poliziotti chiederanno se, a ricordo di conoscenti e amici, fosse stata nominata la marca Avon).
 – Il soggetto è una ragazza di diciassette anni.

12

Ho cominciato a tradire mio marito il giorno prima del matrimonio. Un addio alla giovinezza. Ci sposiamo che la bambina ha cinque anni. Per esigenza legale, non per fede nel sacramento. Siamo felici, intenzionati a stare insieme. Non serve il matrimonio per essere una famiglia, rivendico. Siccome però i suoi parenti sostengono che io sia interessata al patrimonio, bollandomi come arrampicatrice sociale, lui decide di sposarmi, per tutela mia e della figlia. Se mai gli succedesse qualcosa, dice, se mai noi rimanessimo sole. Mi commuovo: non dirlo neanche per scherzo.

Alla vigilia del matrimonio lo tradisco. Rapporto occasionale con amico comune.

Da sposata le cose cambiano: basta rapporti occasionali, questo darsi via senza sentimento. Da sposata intraprendo relazioni di quattro, cinque mesi nei quali dapprima mi entusiasmo, poi via via mi spengo.

Eccoci quindi all'uomo sposato di cui non dirò il lavoro, vi basti sapere che è una persona impegnata, viaggia. Spesso sparisce, non risponde ai messaggi – teneri, minacciosi, infine imploranti. Ci vediamo una volta al mese, talvolta meno. Lui non legge niente di mio, articoli, romanzi. Sono innamorata, anche lui.

Un giorno a letto chiede: lasceresti tuo marito per me?

No.

(E sono sincera, se non fosse stato mio marito a lasciare me, a innamorarsi di un'altra, io non lo avrei fatto. Era lui la famiglia che volevo.)

Mia figlia, da sempre convinta che la parte debole della coppia sia il padre, attribuisce la colpa della separazione a me. Da tre anni, da quando ci siamo lasciati, il padre stesso cerca di spiegarle che è stato lui, ha incontrato un'altra persona, succede. Con un sorriso che sottintende "non ci casco", nostra figlia replica: lascia stare, la conosco – e si riferisce a me.

Grida che le faccio orrore, sono interessata ai soldi, lo sanno tutti (un ringraziamento ai parenti che le hanno inculcato l'idea. O forse è un pensiero in autonomia, forse il mondo intero capisce chi sono al primo impatto).

Seguono anni di litigi, puro disprezzo di Anita verso di me e amore incondizionato per il padre – che se la gode con la nuova compagna, donna equilibrata, che serenità –, anni nei quali io imploro: scusa. Lei replica: vaffanculo, uscendo da qualsiasi stanza in cui ci troviamo insieme.

Quindi, un anno fa, la decisione di trasferirsi a Londra. Non oso oppormi, quanto vorrei, momenti nei quali, incrociandoci nel corridoio, urtandoci in cucina, vorrei dirle: rimani.

Tra due mesi compirà vent'anni.

A proposito di memoria, di ciò che trattiene e di ciò che lascia andare. A proposito della sua arbitrarietà: non è vero che per istinto di sopravvivenza dimentichiamo quel che ci ha fatto male in quanto, se riportato alla mente, continuerebbe a rinnovare il dolore (vedi mia nonna aggrappata a un unico ricordo: babbo. Vedi me: tornando a figurarci la memoria come grotta oscura, lì dove abbiamo nascosto Emanuela, in quella grotta il mio di babbo quale azione compie? Di quale crimine si macchia? Lasciamo stare che nella vita reale io lo chiami papà, lasciamo stare che quindi mi stia sovrapponendo a mia nonna, in questa grotta genetica, cosa fa mio padre? Abuso, violenza. Qualcuno nel buio allunga le mani, ma potrei essere io stessa).

Perciò, lettori, è falso che rimuoviamo i ricordi dolorosi. Andando contro alla schiera di psicanalisti che hanno tentato di indirizzarmi (manipolarmi, dirò a un certo punto della vita, attorno ai trent'anni), oggi io dico che la memoria va a caso. Così come l'immaginazione.

C'è tuttavia un giorno doloroso di cui ricordo tutto con esattezza, o almeno credo.

Il giorno della partenza di mia figlia. Il vento, le scarpe scomode.

Taxi:

Troverai persone interessanti.

...

Ragazzi che arrivano da ogni parte del mondo.

...

Hai preso il cappotto?

No.

Mi ero raccomandata.

Ho il piumino.

Botta e risposta con lei rivolta al finestrino che mi dà le spalle. Ha i capelli castani come i miei, solo più sottili.

Fin dalla nascita sono stata angosciata dall'idea che diventasse grassa. A quattro anni ha un sovrappeso di due chili – parere del pediatra. Osservo la panciotta crescere, diminuire, appena il tempo del sollievo, una settimana, dieci giorni, di nuovo grassa. Lievita lievita, nella mia mente la bambina lievita. Lamento che mangia troppo pane. Provo a insegnarle le regole: frutta, verdura. Piantala di farle i pop corn, dico alla tata.

E anche: vuoi diventare cicciona come me? (Esplicitando che parlo per renderla diversa dalla madre, la voglio diversa.)

Avrà le mie gambe, penso, sarà enorme.

Fissare le lunghe gambe spuntare dai pantaloncini, le scarpe da ginnastica che, malgrado il volume massiccio, non tolgono slancio a caviglie e polpacci, anzi, ne evidenziano la sottigliezza.

Scrutare da dietro la ragazza di un metro e settantasei (la paura che venisse bassa come me). Guardarla andare verso il controllo di sicurezza, mettersi in fila, sistemare gli oggetti personali nelle apposite vaschette – quanto hai viaggiato, ragazza di mondo –, passare sotto il metal detector senza suonare, a differenza mia che a ogni viaggio suono.

Vederla allontanarsi non mi riempie di ansia – la molesteranno, violenteranno –, piuttosto di orgoglio. Alter ego in missione, sovrappongo i miei vent'anni: falli soffrire. Umiliali.

Di mia figlia ho valutato male altezza, peso, resistenza. Certa che avrebbe patito pene d'amore e altro, che sarebbe stata oggetto di derisione.

Eccola bambina a casa di amici, esclusa dalle coetanee che le impediscono di entrare nella camera dove sono riunite a truccarsi.

E siccome ha sette anni – non più quei quattro, cinque che le permettono di piangere, fatemi entrare, loro non mi fanno entrare – si siede in pizzo al divano, pronta a scattare dovessero convocarla. Alliscia il vestito, raccoglie da terra una carta colorata. E io, poco lontano. Quanto vorrei entrare nella stanza, brutte stronze – urlare.

Ma sette anni sono tanti per essere difesi dalla mamma. Mi limito perciò a proteggere con lo sguardo la bambina sul divano, lei che non voglio abbandonare al tempo della prevaricazione che è la crescita. Non sarà questa l'unica porta chiusa. Scuola, piscina, hip hop, spiaggia, una qualunque giornata di agosto in cui incontrerà gli occhi di un ragazzo.

Quella bambina che prende i contorni di qualcosa destinato a soffrire tanto quanto mi somiglia. In lei cerco me stessa, mi trovo.

Salto temporale: proiezione inesatta.

Slanciata, occhi allungati della famiglia paterna. Testarda, autonoma, al contempo piena di tenerezza per gli esseri indifesi – bambini, animali, ancora Dna paterno, quando mai io provo commozione di fronte a un bambino/animale, troppo concentrata sulla mia di fragilità.

E dunque rispettosa col padre, dicevamo, nel quale riconosce una persona giusta; aggressiva con me. Nei litigi arriva a dirmi: cosa hai costruito nella vita tu.

Questo è il nostro momento – provo io, dai quattordici anni in su –, andiamo per negozi, vieni dal parrucchiere, facciamoci i capelli uguali! E nel tentativo di comprarla, memore dei tempi passati – com'era facile, ricordi le bambole? –, riproponevo la medesima dinamica: voglio regalarti qualcosa di prezioso, che so, un ciondolo.

Per quanto tenti, risulta impossibile entrare in contatto con quell'essere prima adolescente poi adulto.

Reiteratamente chiede dov'eri quando, e quando, e ancora quando – andando a elencare le circostanze in cui ero assente, al posto mio la tata.

Punto per punto io ammetto: non c'ero. Infine sbotto: va bene, sono stata una madre pessima.

Va bene, un giorno ho detto: misuriamoci, e ti ho messa al muro segnando una tacca con la matita, per poi non misurarti mai più, e sulla parete della camera sei rimasta ottantacinque centimetri. Sapessi però quanto ho amato quegli ottantacinque centimetri, come me li stringevo addosso, tutti e ottantacinque, nel letto.

E ancora, proseguendo l'ammissione di colpa: a conclusione del tuo primo campo scout (tecnicamente "volo", essendo tu Coccinella), nel momento in cui padre Christian (si chiamava padre Christian?), padre Christian dal pulpito diceva che voi Coccinelle in totale eravate rimaste in contemplazione di Dio per 789 minuti, 789 minuti per venti Coccinelle che siete, io ho pensato: cosa sto facendo a questa bambina, dove l'ho mandata.

Va bene, proseguo – ogni volta chiedevo alla tata che numero portassi di piede, e ogni volta lo stupore: 26?, 32?, già 34? Eppure, 26 32 34, ti riempivo di scarpe. Ballerine, glitterate, luminose, sportive, aprivi l'armadio e venivi inondata dai colori delle tue mille scarpe. Chi te le aveva regalate?

Embè? ribatti sul taxi, in aeroporto, in qualunque luogo abbiamo discusso. I luoghi sfocano, in primo piano noi. Tu hai i capelli corti.

In questa fase della vita, tre anni dalla separazione, sei mesi dalla partenza di Anita, è ricomparsa Federica. In questo tempo di solitudine in cui sono legalmente separata, la mia unica figlia prova disprezzo per me, l'amante è sparito, un altro rispetto all'uomo sposato che mi chiedeva di lasciare il marito. In questa fase ricompare Federica a rendermi meno reietta. Ristabilisce la norma della generazione: elenco degli ex compagni di scuola separati, chi al secondo matrimonio. Molti a proseguire le attività dei padri, avvocati, notai. A distruggere studi professionali e patrimoni, si stanno vendendo palazzi, terreni, dice. Di tutti io sono quella riuscita. La sola ad aver avuto successo. Poco conta che anch'io sia separata, quello non dipende dalla volontà personale, assicura lei, questione di fortuna. E parla con cognizione di causa, da donna separata esattamente come me, ma poi no, io sono migliore, i traguardi in ambito lavorativo.

Stai scrivendo? chiede. Rispondo: sì. Talvolta fornisco dettagli: sto raccogliendo materiale, progetto non-fiction. Vado lenta per via del giornale, sono la firma di punta, firma femminile – ridimensiono –, il che impedisce di dedicarmi a tempo pieno al romanzo. Pensa, non discuto i pezzi coi sottoposti, bensì col direttore in persona, lui mi adora.

Se ripenso a trent'anni fa, commenta Federica.

La nostra esistenza da comparse faceva presagire ruoli

di secondo piano per sempre, sul tappeto azzurro nient'altro che sogni – baceremo. E invece, nonostante la partenza nefasta, ce l'abbiamo fatta. Io di più, a smentire la sicurezza che fosse lei, Federica, la privilegiata.

In sincerità, quante volte – lei che riusciva a perdere quattro, cinque chili, lei a cui la mamma regalava il vestito da sera –, quante volte ho pregato: fai che ingrassi, che il vestito si strappi, bruci, potessi farlo io con queste mani, datemi un accendino, una molotov.

Ripercorro mentalmente le fasi della nostra amicizia: movimento continuo di rovesciamenti, che vedeva primeggiare una nella sofferenza dell'altra, e viceversa.

Passano trent'anni, eccoci. Passano trent'anni, eccomi a correre da lei. Addolorata perché Anita continua a rifiutarmi, viene a Roma senza avvisare, cosa ti ho fatto, vorrei chiedere, camminando sulle strade dell'adolescenza, trent'anni indietro, rimpicciolisco, divento coetanea di mia figlia, di colpo una delle tante privilegiate che mi evita, non m'invita alle feste. Anita come Lavinia, al Circolo della Caccia.

Trent'anni avanti, sulle stesse strade, glicini, dopo aver cercato Anita dal padre, nelle stanze, sotto i letti. Mia figlia. Evocata, desiderata, assente, in luogo di.

In realtà la cercavo da prima, riavvolgi il nastro, scrittrice: durante l'intervista, davanti all'attrice che afferra il cuscino e se lo porta in grembo facendone la sua bambola, il suo scudo. Davanti a quell'essere intirizzito a cui avresti voluto coprire le gambe, e hai offerto la tua sciarpa. Ho freddo solo sopra, rifiutava lei. E quel sopra tu avresti voluto prendere tra le braccia.

Allora tra le tue braccia ci sarebbero stati ottantacinque centimetri. Tutti i centimetri delle ragazze tra le tue braccia.

Lo capisco solo ora. Dopo aver cercato Anita, dopo aver aperto le porte e non averla trovata, dopo essermi sentita ridicola, sciocca, immensamente sciocca, dopo essere fuggita, e aver riparato nel luogo del passato innocente – tra i glicini il rosa pallido! –, il luogo sicuro, per scoprirlo al contrario minaccioso, così minaccioso – attenzione ai ricordi, stupida scrittrice –, il luogo della colpa che s'incarna nella figura sulla strada.

È colpa tua, risuona la voce dal passato, la testa bionda, la bambola.

La cinquantenne sulla strada volteggia, il palloncino sfugge. I LOVE YOU. Vola giovinezza, vola innocenza.

Speriamo che voli su un bel ragazzo.

13

Chiediamoci di nuovo come e perché la ragazza bellissima, desiderio di un intero quartiere, sogno proibito di almeno tre generazioni di maschi, si sia trasformata in una minorata. Torniamo indietro, al corpo di Livia tra i cespugli del giardino.

Dopo venti giorni di coma Livia si sveglia diciottenne, è caduto il suo compleanno, insieme ai capelli, quante cose cadono in questa storia.

I capelli tagliati per l'operazione, craniotomia, termine tecnico che Federica ripete a se stessa a mo' di mantra, chiodo che trapassa la testa, quasi a pareggiare ciò che ha subito la sorella.

Eccetto la cicatrice sulla testa, Livia – a guardarla addormentata – è quella di prima. Una bambola, un angelo. La loro bambina meravigliosa, per i genitori. Se potesse rimanere addormentata (questo sarà un pensiero successivo e passeggero, il crepitio breve di una lampadina che si fulmina: se avesse continuato a dormire).

Dopo venti giorni Livia si sveglia. Stordita, afasica, l'effetto del coma, pensano i familiari. Il disorientamento temporaneo di una persona tornata dalla quasi morte, una persona che dice: mamma – prima parola, aperti gli occhi.

Voce rauca, sguardo alla ricerca di un appiglio, perché chiamando mamma non si sofferma sulla madre, al punto che padre e madre temono che non riconosca nessuno, finché i suoi occhi non si posano sulla sorella. Sei ingrassata, dice.

Padre e madre sorridono. Nessun danno cerebrale.

Dei cambiamenti ci sono. La nuova Livia è gonfia, lenta. Rientra tuttavia nel decorso post traumatico, basterà il periodo di riabilitazione indicato dai medici, due, tre mesi, per riprendere l'uso della gamba. Il problema maggiore difatti è la deambulazione. Le fratture sono state ricomposte, e Livia sarebbe in grado di camminare. Purtroppo si è spezzata la comunicazione testa-corpo, spiega il medico. Corpo inteso come gamba danneggiata. Al momento è come se le fosse stata amputata. Capita allora che Federica, di nascosto dai genitori, le dia un pizzicotto e, non ottenendo reazione, i pizzichi diventino carezze, infine semplici contatti. A volte la sera, sul divano, a guardare la tv, poggia la mano sulla gamba fantasma della sorella. Pensate ai gemelli siamesi, pensate al tratto di corpo che li tiene attaccati.

Viceversa la madre, piuttosto che angosciarsi sui possibili danni cerebrali della figlia, sposta le preoccupazioni sui capelli ricresciuti castani. Progetta di portarla dal parrucchiere domani, subito, pare quella l'urgenza, far tornare Livia bionda.

Sono i capelli scuri a farla sembrare un'altra, sostiene in reazione all'imbarazzo degli altri.

Ha dei vuoti di memoria temporanei, assicura intercettando lo sguardo vacuo della figlia.

Come ti chiami? chiede per la terza volta Livia alla filippina entrata a portarle da mangiare.

Come si chiama lei? chiede della cugina venuta in visita. La persona che le ha preso la mano, e ha pianto.

Simona, risponde Federica, il vuoto sotto i piedi, come

precipitare, anche lei. Perché Simona non è una semplice cugina, bensì l'unica cugina, praticamente sorella, le estati trascorse insieme nella casa in campagna, loro bambine, raccogliamo i papaveri! Prendiamo le farfalle. Quanto vive una farfalla?

La sera nel letto Federica immagina i dottori che bucano la testa di Livia, cosa è uscito dal buco. Papaveri, farfalle. Quando in primavera vede la prima farfalla, prega: non te ne andare.

La riabilitazione ha inizio. Struttura privata dall'altra parte della città, che, causa traffico, comporta un'ora ad andare, un'ora a tornare. Siccome i genitori, ostinati a rimuovere il problema, hanno ripreso la vita normale, se possibile aumentando gli impegni, e siccome Livia non accetta di salire in macchina con estranei – inizialmente era stato proposto un autista –, tocca a Federica accompagnarla, perdere interi pomeriggi, studiare di notte, non studiare, presentarsi a scuola assonnata, impreparata (quanta comprensione da parte degli insegnanti, disposti a chiudere un occhio, premiarla con una sufficienza, e oltre. Mi chiedo se sarebbero stati altrettanto comprensivi se si fosse trattato di me. Me, figlia di nessuno. E soggiunge un ricordo, allorché in occasione della morte dei genitori e del fratellino di una ragazza di quinta ginnasio, incidente stradale, passa tra le classi una circolare per esprimere vicinanza a Camilla. Domando, e non è rivendicazione, semplice curiosità: perché alla morte di mio padre non passa nessuna circolare?*).

Federica accompagna Livia alla riabilitazione in taxi, e assiste alla terapia di cui mi riferisce cadute, fallimenti, gamba destra che non risponde agli stimoli.

Alcuni esercizi si svolgono in piscina. Immaginate la piscina di un centro riabilitativo. Immaginate di contro le piscine a cui sono abituate le sorelle. Seduta sulla panca, nell'odore di disinfettante, il pavimento di piastrelle come un bagno pubblico, Federica guarda la sorella attaccata al bordo, la guarda rifiutare tavolette, e mani del fisioterapista. Giorno dopo giorno, contempla la sorella regredita. Staccati, vorrebbe dire, urlare, nuota (è Livia che ha insegnato a Federica a nuotare). Ti prego, arriva a bisbigliare tra sé e sé, gli occhi fissi alla persona in un angolo della vasca, quella persona che non può essere la sorella, sua sorella si tuffa, caprioleggia. Staccati, prega Federica nella piscina del centro riabilitativo.

Giorni, settimane aggrappata al bordo, finché Federica non interviene. Quella mattina che si presentano al centro esibendosi in uno spettacolo, chiamiamolo pure spettacolo.

A precedere questo momento, ci sono stati pomeriggi di prove. In camera, Federica ha aiutato la sorella a spogliarsi, indossare il costume, per poi convincerla a fare quello che ordinava lei. Ha dovuto insistere perché Livia chiudesse gli occhi e sollevasse le braccia per farsi passare dalla testa la cosa rossa, come la chiama lei, non conoscendone il nome esatto – prima dell'incidente lo conosceva. Quindi Federica l'ha persuasa a distendersi a terra, dicendole: ora batti i piedi. Sul tappeto azzurro una ragazza concentrata a battere i piedi all'aria, oscillando il corpo da una parte all'altra, scoordinata (non sarà tuttavia questo ricordo a tornare negli anni nella testa di Federica, non sarà questa l'immagine della demenza).

E dunque, la mattina che le sorelle si esibiscono.

Al cospetto di fisioterapisti, e di vecchi – che a Livia devono sembrare giovani, pubblico indifferenziato, lei ha riconquistato il suo pubblico –, Livia s'infila la ciambella rossa, ha imparato il nome, s'immerge in acqua, galleggia. Galleggia, seppur in prossimità della scaletta. Galleggia, a un tratto volteggia, piccola giravolta, metà giravolta.

Sono sufficienti tre mesi. Se in principio Livia ha bisogno di appoggiarsi a qualcuno, se è stata noleggiata una sedia a rotelle con cui spostarsi dentro casa, adesso guardala: il giorno in cui attraversa il salotto con le braccia allargate, un piede davanti all'altro, come su un filo sospeso nel vuoto, quel giorno in cui i genitori e la sorella assistono timorosi e al contempo speranzosi, quel giorno che Livia arriva alla vetrata, all'altro capo del filo immaginario, e il padre si asciuga gli occhi, e la madre applaude.

---

* Solo negli anni avrei compreso la differenza degli accadimenti. La portata drammatica del primo rispetto alla portata del secondo, benché si trattasse di *mio* padre. Solo molti anni dopo avrei ripensato a Camilla, al significato di trovarsi orfana a quindici anni. Di colpo sola al mondo. E allora, già adulta, mi sarei chiesta dove fosse, cosa facesse. Hai avuto figli, Camilla?

14

A questo punto della storia, della ricognizione della mia adolescenza attraverso quella di Federica, e di Livia (sfumature della stessa ragazza da Emanuela Orlandi a me, passando per Livia, dalla scomparsa all'obesa, oppure al contrario, un'unica ragazza che va via via a sbiadire), a questo punto, saltano i paletti. Noi stesse ci scopriamo confuse, cosa siamo diventate, costellazione senza luna, microscopiche stelle a punteggiare il cielo buio. Qualcosa non torna.

È giunto il momento di correggere il resoconto, lettori. A malincuore ammetterne la manipolazione.

Ho detto che dopo gli anni di amicizia con Federica ci siamo separate, strade diverse, lasciando intendere che la differenza sociale ci destinasse ad ambiti opposti, alludendo a fatiche mie e privilegi suoi. Riproponendo lo schieramento: ragazzi del canestro, immuni dal dolore, predestinati, contro me, piccolo borghese, futuro da costruire. Vi ho fatto credere di essere stata allontanata per motivi sociali, ho raccontato il rifiuto di un mondo altezzoso che respingeva gli inferiori. Ho dovuto dimostrarvi che le caste esistono, le caste crudeli espellono, indifferenti ai sentimenti come quelli fra me e Federica, perché tra noi un legame c'era, sorellanza, alter ego in cui rispecchiarsi in obesità e anoressia.

Tappeto azzurro-mare, piscina. Mano nella mano, preghiamo.

Preghiamo insieme fino all'incidente di Livia.

Ribaltamento, verità: sono io ad allontanarmi. Sono io l'essere infimo che, fin quando ha avuto un tornaconto nell'essere scambiata per sorella, cugina, è rimasta. Fin quando veniva creduta nata e cresciuta nello stesso ambiente. Avi prestigiosi, vestiti, circoli dove entrare spavalda (nella realtà mai entrata, eccetto da adulta). Fin quando la loro luce irradiava su di me, e allo specchio mi scoprivo quasi bionda – non stonavo in mezzo a loro, tonalità più scura dello stesso biondo. In scala: Livia, Federica, Simona, io. Fin quando ho avuto giovamento dall'essere incastonata tra loro, sono rimasta.

Il cielo costellato di nubi simili a macerie. Il vento piega gli alberi. Il mare luccica sotto il sole brillante. I fiori sbocciano. L'estate evapora.

Dopo l'incidente, nello specchio torno castana. La luce che ci ha illuminate si è spenta, tutte noi ci siamo spente, se mai siamo state stelle.

Non riguardava solo Livia.

A posteriori: è questo il problema dell'identificazione.

Dopo l'incidente, ogni cosa diventa scomoda. Il malessere che percepisco entrando in quella casa. Stare vicino a uno di loro, nemmeno la vicinanza diretta col guasto, basta la prossimità. Federica, madre, padre. Io. Chi sono io.

Seppur trasformata nella ragazza di città, nuovamente mi chiedo chi sono.

Insieme a Livia precipitiamo tutte. E io mi sottraggo, non voglio tornare reietta.

Meglio il primo piano di via dei Monti Parioli, divani beige. Padre violento, madre depressa. Meglio io del frutto marcio, della rosa appassita.

Il problema si pone oggi, nella risistemazione romanzesca dei fatti, dove l'allontanamento da Federica e Livia nel momento del bisogno non trova posto.

Occhei padre orco, pedofilo. Padre orco, madre castrante, benissimo io adolescente oggetto di derisione dei ricchi aristocratici, perfetta l'immagine dello zaino koala a rimarcare l'inadeguatezza, inaccettabile invece io che ripudio l'amica. Fuori personaggio – il mio. I sentimenti di vergogna, men che meno di repulsione nei riguardi di danno/malattia da cui non voglio essere contaminata. Nell'autobiografia ideale non c'è spazio per gesti iniqui. Le bassezze spettano agli altri. Io sono la vittima. La dimenticata che alla fine ce la fa. La mia è una storia di riscossa, Gesù Cristo rinnegato e risorto.

Purtroppo però nella versione di me crocefissa la vicenda non torna, i pezzi non combaciano.

Per amore di letteratura dunque, per rispetto di verosimiglianza, non da ultimo per pigrizia (faticoso inventare i passaggi di mezzo che mi vedono scansata, e a distanza di trent'anni ricercata perché famosa), devo correggere questo racconto, e confessare. Io, soltanto io, deliberatamente e in piena coscienza, ho rotto i rapporti con Federica – imprecisa la locuzione "ci siamo allontanate". Io ho smesso di chiamarla. Di vederla, frequentarla. Io ho sillabato a mia madre con la cornetta in mano: dille che sono partita.

Ciò nonostante, quando lei si palesa, nel momento in cui la ritrovo al cancello di via dei Monti Parioli 49/a, non mi sottraggo. Cattiva sì, non codarda. Una che dice le cose in faccia, che non ha paura della verità – io, come mi rappresento a me stessa e al mondo.

Così la giovane coraggiosa, alla domanda dell'amica: che ti ho fatto di male, perché mi eviti, risponde – fronteggiando tutti i ragazzi del canestro, guardandoli dritto negli occhi vacui, azzurri, verdi, milioni di occhi bellissimi –, la giovane risponde fiera: mi sento diversa.

Botta e risposta generico, via via più circostanziato – fa-

miglia, futuro –, e il virgulto maremmano arriva alla stoc-
cata finale, del tutto gratuita vista l'arrendevolezza dell'interlocutore che implora: rimaniamo amiche.

In quella posizione di totale fragilità dell'altra, il virgulto affonda. Devo laurearmi, viaggiare, dice.

Credendo che la causa del dissenso sia la facoltà differente, Federica ribatte: vengo a Lettere.

Quindi l'amica precisa: è una questione di possibilità. Tu,
tua sorella.

Mia sorella cosa?

Io sono sana, infierisce la ragazza di provincia tirando fuori la vera natura, l'identità fin qui mascherata. Sana, ripete.

In quell'istante ho cominciato a essere la persona cattiva
che sono. O, più probabile, sono tornata a essere la creatura cattiva che sono sempre stata.

Lontana da me, malattia. Povertà, guerra, carestia, orfani-
tudine, vedovanza. Continuare per la propria strada, tirare
dritto oltre i mendicanti che provano a fermarti. Storpi, anziani (se solo tu, scrittrice, avessi posto maggiore attenzione,
ti saresti accorta che negli anni aumentavano gli anziani,
se solo avessi posato lo sguardo avresti pensato che quei
vecchi avrebbero potuto essere i tuoi genitori, e allora forse ti saresti fermata a deporre una moneta nei loro bicchie-
ri di plastica).

La mancanza di empatia, l'assenza di pietà verso il prossimo, specie se fragile, è uno dei lati del mio carattere. Se devo
descrivermi: intelligente, anaffettiva.

Eppure qualcosa ha scavato dentro, non tanto a livello di
commozione, quanto sul piano dello stimolo. Dal passato
tornano immagini di vicinanza al danno, una specie di fa-
miliarità e insieme di pericolo scampato. Un vissuto che
condiziona le scelte. Così spiego l'interesse crescente per le
malattie, in particolare quelle croniche. Ultima proposta al

giornale: anoressia, come è cambiata negli ultimi anni. Risposta del caporedattore: argomento vecchio (non era il direttore in persona con cui discutevo i pezzi? Se solo qualcuno stesse dietro a tutte le mie affermazioni).

Insisto, forse non si fida di me? Forse ha dimenticato il reportage dell'anno scorso, quello che ha avuto milioni di retweet, milioni in senso figurato. Ha per caso rimosso il lavoro da me svolto all'Ospedale Bellaria di Bologna presso il centro per i disturbi del sonno? La ricerca sul campo durata quattro giorni a contatto con personale medico e pazienti. Le testimonianze raccolte. La sensibilità con cui sono stata in grado di far parlare i degenti, al punto che il professore – primario, luminare – diceva che nessuno mai aveva raccontato la malattia con tanta comprensione. Grazie, diceva. E dunque tutto dimenticato, caporedattore?

Nel dubbio rinvio il vecchio reportage. Io stessa ne rileggo degli stralci, complimentandomi fra me e me. No, neanche a rileggere m'identifico coi malati, non m'identifico, e sbaglio.

"Non posso ridere, piangere, innamorarmi" dice Rosanna, ventinove anni. Mai avuto un fidanzato, "chi starebbe con una come me?". E per *una come lei* intende una che, se si scontra con un'emozione, cade.

Dopo una risata, nell'istante in cui scoppia a piangere, a Rosanna cedono i muscoli. Cade a terra. Paralisi totale durante la quale le è impossibile muoversi, parlare, eppure sente. Così sente le frasi della gente intorno, è morta, dice qualcuno, e lei vorrebbe urlare: sono viva. E anche: non lasciatemi sola.

Laureata in Medicina, specializzanda in Chirurgia toracica, Rosanna passa gran parte del tempo in ospedale, "se non avessi fatto questo mestiere, se fossi stata, che so, un'insegnante, forse non me ne sarei accorta". La privazione di sonno dovuta ai ritmi di lavoro rende evidenti i disturbi (andando indietro con la memoria i segni già c'erano. Lei bambina che si addormenta appena sale in macchina, lei adolescente che fuma per rimanere sveglia).

L'esordio dei disturbi è la paralisi del sonno. Una notte, Rosanna avverte una presenza sopra il petto. Una persona vera, con battito cardiaco e peso corporeo, assicura, che le impedisce di muoversi, e sussurra cose brutte sulla morte. Inutile andare in chiesa a confessarsi, succede di nuovo. E di nuovo lei vorrebbe dire: non lasciatemi sola.

Per questo ha preso Hans, "il pastore tedesco è molto protettivo nei confronti del padrone, specie se donna". Hans sa cosa fare quando lei cade. Dovesse dimenticare il gas acceso, lui abbaia. Anche se ormai Rosanna esce di rado, e gli amici – a cui non ha raccontato della malattia – credono sia per il cane, un cambiamento di abitudini dovuto al cucciolo.

"La sensazione è quella di perdermi tutto" dice, "tranne la passeggiata con Hans." E su di lui: "A volte mi addormento lanciandogli la pallina".

Pensare che da bambina correva, si arrampicava, ruote e capriole sul prato. Nata e cresciuta in campagna, passava le giornate a esplorare i dintorni, niente la spaventava, animali inclusi, come il leone un giorno nel bosco (era un leone, giura. O forse un sintomo della malattia a venire).

Si sentiva onnipotente. Invece: non poter ridere, piangere, arrabbiarsi, innamorarsi, "niente rapporti sessuali". Per pudore personale, per vergogna. Ma più di tutto per paura.

Paura di mettere a rischio qualcun altro. Difatti, ricevuta la diagnosi, domanda: "Posso continuare a fare il medico?".

E paura della morte apparente. Digitando su Google "narcolessia"/"cataplessia", ha trovato il primo caso noto nella storia, inizio Ottocento, donna data per morta che si risveglia nella bara.

15

Negli anni in cui Federica si stacca dalla famiglia, da tempo io non faccio più parte del suo mondo, se non in forma di ricordo.

Ha appena conosciuto Giorgio, col quale ha deciso di andare a convivere. Era diverso dagli altri, dice.

Federica racconta, dopo che il palloncino è volato via, Livia addolorata è rientrata a casa, e noi da casa ci dirigiamo verso il parco. Su una panchina, a pochi metri l'uomo che vende palloncini. Deve ricordarsi di prenderne uno per Livia.

Quel giorno o un altro, sulla panchina, al tavolo di un bar, mi spiega ciò che ha significato il distacco dai genitori, e il ruolo che l'incidente di Livia ha avuto su tutte le sue scelte a venire. In generale Livia, la persona in cui si è trasformata.

Dice che sì, aveva ripreso presto a camminare, ma il senso dell'equilibrio era comunque precario.

Le volte che inciampava, cadeva.

Rimaneva a terra spaesata, quasi le servisse un ragionamento per ricomporre i luoghi, dov'era? In camera sua.

Federica allungava una mano per aiutarla a rialzarsi, e il peso che sollevava era quello dell'intera famiglia. Insieme a Livia erano regrediti tutti.

Hai idea di cosa significhi riprendere tua madre per il vestito macchiato, che vada a cambiarsi? E tuo padre? Quel padre che un attimo prima viaggiava, giocava a scacchi, e adesso sulla strada devi tirare per un braccio: attento alle macchine.

Non vedere la figlia danneggiata implicava farsi piccoli quanto lei.

Giorgio è stato una fuga, riconosce Federica.

A quei tempi viveva in un appartamento vicino all'università, settanta metri quadri divisi con un amico. Ricorda la volta che è andata a trovarlo, la tenerezza. Calzini e mutande ad asciugare sullo schienale della sedia. Lei scende a comprargli uno stendino, ci ridono per anni, primo regalo, stendino.

M'incantava l'intelligenza, dice, una delle persone più intelligenti che avessi incontrato. Ora immagina la reazione dei miei. Si oppongono con tutti gli argomenti. Troppo presto, vi conoscete appena, lui meridionale. Arrivano a dirmi che da loro non avrò una lira, mia madre paventa che dovrò occuparmi della casa, pulire i cessi, io che sono abituata alla cameriera. Chissà che avrei deciso se fossero riusciti ad ammettere quello che davvero temevano. Il loro limite del resto è stato sempre l'incapacità di verbalizzare. Al punto che Federica era arrivata a sospettare che fossero incapaci di registrare i cambiamenti.

Così Livia continuava a essere la figlia speciale, solo un po' ribelle. Poteva comportarsi nel modo peggiore, e loro non si scomponevano. A tavola masticava e risputava, diceva di aver dimenticato il colore della cosa che aveva messo in bocca, voleva vederlo. E altri gesti assurdi ogni giorno, mille volte al giorno. A un certo punto Federica scoppia. Anni e anni a implodere.

Oggi conviene che andare a vivere con Giorgio sia stata una provocazione, un modo per costringere i suoi a reagire. Anziché parlarle di soldi, potevano dire: che ne sarà di tua sorella? Che ne sarà di tua sorella se te ne vai.

Dall'incidente in poi i genitori scaricano la figlia maggiore sulla minore, questo lo ricordo.

Credo che pensarci come unità fosse un conforto, riflette Federica. L'ho capito diventando madre, specie col secondo. Pensarli in due, la notte, nella stessa stanza.

Mio padre rientrava a casa, e chiedeva: le ragazze?

L'idea che fossimo insieme, che una vigilasse sull'altra.

Falso, c'ero solo io a vigilare.

Quando partivano, e partivano di frequente, la madre si rivolgeva a Livia. Cucina qualcosa di buono per tua sorella, diceva.

Capisci? Aveva disimparato a mangiare, camminare, all'inizio non era in grado di andare in bagno da sola, e lei le chiedeva di cucinare.

Federica si lascia tutto questo alle spalle, va ad abitare con Giorgio, nonostante le resistenze dei genitori. Più che resistenze, si tratta di minacce che impressionerebbero la sedicenne sul tappeto azzurro, occhi chiusi. Non la donna, colei che io stessa ho pensato come l'esatto prodotto di *quella* famiglia, seno rifatto, e che piano piano si sta rivelando differente. Probabile che il seno sia venuto dopo le gravidanze. Magari su insistenza del marito, o regalo del medesimo per motivarla, spingerla a uscire dalla depressione post partum. Immagino motivi nobili. Oppure vanità. Una concessione nell'ambito di una vita di rinunce. Perché la vita di Federica non è stata facile come credevo (sporgiamoci su un bilico imprevisto: io che devo chiedere scusa ai ragazzi del canestro).

Dopo il matrimonio, al seguito di Giorgio assunto in una multinazionale del settore alimentare, Federica si trasferisce a Genova – qui, con le dovute differenze, ci scambiamo i ruoli. Io mi cittadinizzo, lei si provincializza, chiediamo allora a chi sia vietato l'ingresso nei circoli oggi, l'ingresso a quel Circolo* –, istante di dubbio, risposta: a me, sempre a me. Continua a vincere la nascita, i quattro quarti (a distanza di trent'anni le parole di Lavinia: ma tu non hai proprio niente, due quarti, uno?).

Dunque Federica va a vivere a Genova, dove cerca lavoro a prescindere dalla laurea. Capisce che deve accontentarsi, almeno all'inizio. Lei, la sedicenne sul tappeto azzurro, proprio lei si adatta.

Primo impiego presso un'agenzia di viaggi. Nel mentre spedisce curriculum, fa colloqui (in tutta coscienza, mi sarei aspettata che diventasse una donna tanto intraprendente?).

Secondo impiego studio legale, dove lavora fino a che non rimane incinta.

Alla nascita di Leonardo ha ventiquattro anni.

Il bambino sembra allontanare ulteriormente la famiglia da lei, in particolare Livia, che sparisce. Se prima chiamava ogni giorno, ora non risponde nemmeno.

La mia maternità le procurava sofferenza, dice Federica, la nascita di Leonardo deve averle fatto capire che lei non avrebbe avuto figli. Il momento insomma in cui Livia realizza di essere diversa.

E io, che ho letto Freud, mentalmente correggo: Livia non pensava all'impossibilità di diventare madre, viceversa si è sentita tradita. Cessava di essere lei la creatura piccola di cui Federica doveva occuparsi. In alternativa, contemplo una seconda possibilità, ha sentito la sorella come un adulto, qualcuno con cui non aveva più niente da condividere – nella sua visione adolescenziale: da una parte gli adulti, dall'altra i giovani a lottare per la libertà.

Per fortuna il distacco dura poco. Già quando Leonardo ha un anno le sorelle riprendono a sentirsi.

Federica scende a Roma coi bambini, nel frattempo è nato Michele, per il quale l'intera famiglia corre in ospedale.

Appena Livia lo vede, si porta una mano al petto. Quanto pesa? chiede.

E capendo male la risposta della sorella, mormora: due etti. (Squarcio sul cervello di Livia: i danni inficiano la capacità di calcolo, più precisamente di concretezza. Di contro non ha alcuna difficoltà all'astrazione: un cerchio, la luce.)

Passano gli anni. Sei Leonardo, quattro Michele.

Sorpresa! La zia viene a trovarli.

I bambini felici. La zia che salta sul letto, la zia che urla a squarciagola, ecco cos'è Livia per loro.

Meno entusiasta Giorgio, per il quale la cognata rappresenta qualcosa di difficile da gestire, non potendone prevedere le reazioni, senza contare che si tratta della prima visita dopo la morte della madre. La prima volta che Livia viaggia da sola.

Non c'è niente di allarmante, rassicura Federica.

Se tu avessi quattro e sei anni, ribatte lui, se ti entrasse in casa una persona strana.

Federica s'innervosisce.

Accusa il marito di ragionare come loro, quelli che hanno emarginato Livia, a dar retta a loro doveva essere rinchiusa.

Parentesi (impossibile non aggiungere riflessioni, non correggere via via il racconto di Federica). Parentesi mia sulla base dei ricordi che riemergono cristallini. Se Federica fosse stata onesta avrebbe riconosciuto che tra quei loro c'era anche lei, o almeno c'era stata.

Ricordavo le volte che implorava i genitori di farci uscire senza Livia, lei non poteva fare da baby sitter ventiquattr'ore su ventiquattro. E le occasioni in cui si augurava che Livia si perdesse? Me lo confidava: vorrei che non tornasse più.

E ancora, l'idea che aveva lanciato un'estate alla madre, lasciarla in una clinica, giusto tre mesi, e poi riprenderla.

Per molto tempo, o forse a tratti, Federica aveva fatto parte della schiera dei loro. Sedici, diciassette anni. Diciotto, diciannove. Troppo giovane per portare la croce consegnatale dai genitori. Giacché padre e madre, come abbiamo detto, superato l'iniziale periodo di assestamento, riprendono le loro abitudini. Partono, danno cene.

Costretta a una vicinanza continua, notte inclusa – le sorelle dormono nella stessa stanza, letto a castello comprato apposta –, Federica conosce la nuova Livia, ci sono cose della sorella maggiore che solo la minore sa.

Chi sa delle notti in cui Livia piange, e chiama mamma. Mamma, via via più piano. E se all'inizio Federica si spaventa, poi ci fa l'abitudine. Dormi – girandosi dall'altro lato. E anche: basta!

O le notti – destinate a sparire dalla mente di Livia, la sua memoria non trattiene niente –, le notti in cui Federica entra nel suo letto, la stringe a sé, e cullandola dice: sei a casa.

In quelle notti Livia si lamenta: ho freddo. E Federica si convince che stia sognando di essere in mezzo ai cespugli, la sorella rivive le ore successive alla caduta, cade ogni notte, e ogni notte Federica scende – fisicamente dal letto, riproducendo il movimento che avrebbe dovuto compiere quella notte, scendere, e salvarla.

Ecco come Federica conosce la sorella nell'intimo delle sue paure, di cui la stessa Livia non ha consapevolezza né memoria futura.

Non potrà ricordare quando nel buio chiede: si può rimanere incinta dalla bocca?

Nel letto sopra Federica strizza forte gli occhi, prega: fai che muoia. Sì, c'erano stati momenti in cui si era augurata la morte di Livia.

La stessa Federica che anni dopo accusava Giorgio di essere insensibile.

Finendo col ricordargli che sua sorella ha avuto un incidente (quasi in difesa del Dna, del gene di famiglia, altra cosa che non ammetterebbe. Non confesserebbe le volte in cui si è affrettata a spiegare a persone appena conosciute: non è nata così).

La morte della madre, racconta, ha cambiato la situazione. Si è sentita responsabile, di nuovo responsabile dopo essere fuggita – va bene, riconosce che la sua è stata una fuga.

Tanto che a distanza di anni, i figli grandi, la separazione, non è certa di essere stata davvero innamorata di Giorgio. Più dell'idea di creare qualcosa di suo, un universo che non avesse legami con la famiglia d'origine. E quel desiderio ha distorto ogni cosa.

A Villa Borghese, sulla panchina, in un bar, al telefono. Federica racconta il momento esatto in cui tutto ciò che le era sembrato giusto vacilla. Ha avvertito un senso di estraneità che l'ha portata a chiedersi se fuggire dai genitori e dalla sorella fosse stato giusto. Di colpo il desiderio inverso, tornare al mondo tradito, addirittura il dubbio che avessero ragione i suoi (parentesi ancora mia: la conservazione di quella classe sociale non è uno stratagemma contro la dispersione di patrimoni, bensì qualcosa di più profondo – capisco solo ora, dalle parole di Federica –, un istinto contro la paura dell'ignoto, una legge di natura al pari di quella che impedisce agli esseri umani di accoppiarsi con gli animali, tranne nella mitologia greca, da cui nascono mostri).

La visita di Livia significa un passaggio di testimone, Federica che torna a farsi carico del peso, sebbene col padre mai si azzarderebbe a definire la sorella *peso*.

Ora che è morta la mamma deve far sentire la sua presenza. Progetta di scendere a Roma più spesso per sollevare il padre. Pover'uomo, che strazio vederlo chinarsi a recuperare da terra le scarpe di Livia, sempre lì a raccogliere pezzi di figlia.

Di sicuro oggi, con una maturità diversa che include l'esperienza di genitore, Federica ritiene che padre e madre abbiano protetto Livia eccessivamente. Se le avessero lasciato uno spazio di libertà in cui sperimentare, se solo le avessero permesso un minimo di autonomia. Lei sarebbe cresciuta, con tutti i limiti, certo. Evolvere non è una questione di intelligenza, ma di esperienza. Livia è stata privata dell'esperienza, conclude Federica.

E dentro di me io provo stupore, che questa donna non sia così limitata come pensavo? Che da strade differenti – Dostoevskij e Freud io, lavoro d'ufficio lei – siamo arrivate a conclusioni simili?

Livia non è cresciuta, prosegue Federica. Ragion per cui il giorno del suo arrivo a Genova lei decide di forzare la sua stessa diffidenza, la paura che con Giorgio nega. Mia sorella – rivendicando *mia* – non farebbe male a una mosca. Andare a cena fuori, lasciare i bambini con la zia, è un passo importante per lo sviluppo intellettivo di Livia di cui si assume piena responsabilità. Guarderanno la tv, salteranno sui letti – e allo sguardo diffidente del marito: mettiti una mano sul cuore.

---

* **La verità è** che una volta – solo una – faccio il mio ingresso al Circolo della Caccia. Già adulta, professionista non ancora affermata, freelance, con la scusa di un'intervista al principe ***, il quale mi dà appuntamento nel posto proibito e tanto sognato (solo dopo saprò che, costretto ad affittare il palazzo di famiglia, il principe vive in due stanzette di cui si vergogna, motivo del Circolo come luogo dell'incontro). Segue intervista (mai pubblicata in quanto rifiutata da tutti i giornali, motivazione: a chi vuoi che interessi questo poveretto?), precisamente segue finale di intervista. *Nostalgia del vecchio mondo, principe?*
Nel corso degli anni è capitato che da ***, la tenuta d'infanzia, il luogo dove sono cresciuto, ebbene è capitato che da lì arrivassero attestati di affetto. Ricordo un Natale, squilla il telefono, e una voce lontanissima: "Principe, sono tanti anni che la cerco". La figlia del fattore. "Si ricorda di Otello, principe?" E mi comunica che quando Otello morì il nonno gli fece tagliare uno zoccolo per placcarlo in oro. Passano gli anni, e quella umile persona vuole restituirmelo. "Sessantuno anni, principe, che lo custodisco per lei" dice al telefono, e io non ho saputo trattenere le lacrime, vede? Anche ora che racconto, anche ora mi commuovo.
Cosa la commuove?
Io non so se la borghesia che oggi ha i nostri patrimoni riuscirà mai a trasmettere questa devozione.

16

Urla indistinte li conducono al bagno con i cappotti ancora indosso. Istante di esitazione da parte di Federica, abbi il coraggio di vedere ciò che ha commesso tua sorella – voce interiore –, apri questa porta.

Schiuma sul pavimento. Foschia che sbiadisce i contorni delle cose tranne la figura che affiora dal vapore, quella che Federica riesce a mettere a fuoco, Leonardo. Vivo, pensa mentre Giorgio scatta verso la vasca, e dice: cosa state facendo.

Siete tornati, esulta Livia.

Spunta la seconda testolina, Michele, vivo anche lui – ancora il pensiero di Federica.

Chiudete, fa Giorgio, cercando a tentoni la manopola dell'idromassaggio, e Michele dice: papà, e Giorgio maledice la vasca, la casa – in realtà Livia, spaventando col tono aggressivo il piccolo che scoppia a piangere. Inutili i tentativi di Federica di placare gli animi, calmatevi, dice, con poca convinzione – calmatevi –, e la voce si affievolisce. Quindi Giorgio le passa il figlio minore tra le braccia. Per dirigersi nuovamente alla vasca, penetrare la nebbia.

Adesso è la volta di Leonardo. Livia lo tira a sé, lascialo, protesta, non accorgendosi, nella foga, di spingere il bambino sott'acqua. La testa di Leonardo sparisce. Pochi secondi, il tempo che il padre lo riacciuffi.

Leonardo riemerge nel sollievo di Federica, sì, quello che prova nel vedere il figlio maggiore è sollievo. Leonardo emerge, e ha sei anni.

Per associazione di immagini Federica è tornata al giorno del parto, nel quale – per altra associazione, qui di paure – era stata presa da un terrore irrazionale, che il bambino avesse problemi neurologici.

Pur sapendo che il deficit di Livia non era di nascita, non alterazione genetica, certo che lo sapeva, Federica non riusciva a ragionare.

La vicinanza con il ritardo mentale è stata un contagio. Le volte che si soffermava sulle persone valutandone prontezza di riflessi, capacità di comprensione. La scala di demenza parametro di giudizio. Si era innamorata di Giorgio per l'intelligenza superiore comprovata dai trenta e lode all'università, e dalla rapida carriera sul lavoro (a ventinove anni era responsabile di area, chissà cosa sarebbe diventato in futuro. Cosa sarebbe diventato? Niente, quel livello sarebbe stato l'altezza maggiore raggiunta, da cui la frustrazione).

E dunque l'intelligenza, o meglio, la distanza dalla demenza, condiziona lo sguardo di Federica sui figli. Meno sul secondo, moltissimo sul primo. Di sicuro il primogenito ha funzionato da lezione per il secondo, che riceve un'attenzione meno maniacale. Viceversa, povero Leonardo.

Già in sala parto, Federica chiedeva al ginecologo se fosse sano. Più avanti al pediatra, più avanti ancora ai medici del pronto soccorso dove spesso finivano per apprensione materna, non per reali incidenti/malori del bambino, a quella schiera di specialisti lei chiedeva: è normale? Nel tempo la domanda diventava circostanziata, e i motivi potevano essere due: la paura si era trasformata in ossessione specifica concentrata su un unico dettaglio; Federica aveva affinato i passaggi per ottenere dai medici rassicurazione immediata. Col tempo perciò ripeteva un'unica domanda: non ha la testa troppo grande?

I primi anni di Leonardo sono stati oggetto di osservazione scrupolosa, ancorché morbosa, riconosce Federica. Rispondeva allo stimolo della luce? E del suono? Mani battute a pochi centimetri dall'orecchio, torcia davanti agli occhi. E poi stimoli fisici, martelletto sulle ginocchia. Senza contare la fissazione per il percentile di crescita. Prima parola pronunciata, a che mese. Mese di gattonamento, mese di posizione eretta. Primo passo. Nonostante le ansie, Leonardo cresce. Vivace, socievole. E Federica si rilassa.

La sua angoscia non è legata alla possibilità di un incidente – ciò che era accaduto alla sorella si ripeteva, moltiplicava, diventava destino per le persone amate, no. Stabilito che il bambino è normale, la trepidazione di Federica svanisce, la madre si acquieta.

Negli anni di crescita di Leonardo, si può individuare un'unica circostanza di vero allarme. Intorno ai cinque anni, al ritorno di Giorgio da un viaggio di lavoro. Nel rivedere il padre il bambino manifesta gioia, e come se gesti e parole a sua disposizione non fossero sufficienti, esaurito il repertorio di salti e grida, comincia a girare su se stesso. Gira gira. Basta, dice Federica a un certo punto, e lo prende per un braccio, ma lui oppone resistenza, lei alza la voce: ho detto basta – afferrandolo per le spalle, quasi per farlo tornare in sé.

Non una scena allarmante, se non fosse il ricalco esatto di altre scene – nella testa di Federica altre mille – che vedono Livia sul terrazzo, in strada, nel corridoio di scuola dove è tornata l'anno dopo l'incidente, a girare su stessa, con la gonna che si solleva, nei ricordi di Federica c'è sempre una gonna che si solleva a scoprire le mutande.

Possiamo dire che, sempre nella testa di Federica, dal corridoio di scuola a oggi, letteralmente oggi, un attimo fa, sulla strada col palloncino, Livia non ha mai smesso di volteggiare.

Gira gira, diventa sera, primavera, il cielo squarciato da nubi grigie, il sole a picco sulle teste, pioggia fitta, autunno, giovinezza.

Quando Federica pensa alla sorella la rivede girare. Livia volteggia, e lei si sente male, un malessere che è dolore, turbamento, disperazione. A rifletterci, vergogna.

Così, a Leonardo che gira su se stesso, Federica ha sovrapposto Livia, avvertendo lo stesso disagio, il contrario di ciò che prova nel bagno allagato, guai a dirlo però.

Non può dire che mentre il marito si agita, ravvedendo una situazione promiscua (in futuro l'origine della sospetta omosessualità di Leonardo. È stata tua sorella, accuserà, vai a sapere cosa gli ha fatto nella vasca), Federica non può confessare che si sente confortata. Che è tutto meraviglioso, in quanto la sua mente – per associazione arbitraria – l'ha riportata al momento del parto, all'angoscia, per poi ripercorrere gli anni in un lampo, quegli anni di incertezza, fino all'istante in cui non rimanevano dubbi, il bambino era sano.

No, non può manifestare la soddisfazione. Deve placare Giorgio che minaccia punizioni, irresponsabili pericolosi, dice ai figli, rivolto indirettamente alla cognata, è lei che vorrebbe accusare, e nell'impossibilità di farlo per timore di una sua reazione sfoga l'ira con gesti bruschi, insensati, come arraffare un accappatoio, e gettarlo per terra a tamponare l'acqua.

Livia scatta in piedi, le mani a coprire il seno. Ehi, dice, non stavamo facendo niente di male. E prega Giorgio di uscire, non vede che è nuda?

Nei giorni a seguire Giorgio immagina le fasi dell'accaduto: Livia che spoglia i bambini. Livia che si toglie gli abiti davanti a loro. Sei e quattro anni, sei e quattro anni, ripete allo sfinimento.

E ancora, continuando a immaginare le fasi precise della serata: s'infilano nella vasca, con la schiuma che cresce (nessuno ha detto a Livia che nell'idromassaggio va il sapone specifico, o forse gliel'hanno detto, e lei lo ha dimenticato). I tre s'immergono, lottano, Livia afferra uno, poi l'altro. I corpi strusciano. Lo schifo, dice Giorgio, che con quell'episodio dichiara chiusi i rapporti con la cognata.

Federica prova a ragionare. Va bene, si è spogliata davanti ai bambini, ma non è successo niente, men che meno Livia ha avuto coscienza di compiere un'azione sbagliata – piccolo cenno ai freni inibitori caduti, alla parte di cervello danneggiato.

Lucidamente, non ritiene che la vicenda rimarrà nella memoria dei figli, non come trauma, sai cosa ricorderanno? Il bagno allagato, il giorno che la zia ha allagato il bagno. Prova a spiegare al marito la mancanza di malizia di Livia. L'istinto di un animaletto, e si ferma a cercare il paragone: cucciolo, bambino. Spirito libero. Spirito libero, sì, slegato dall'incidente, assicura. Già da bambina aveva quel lato impulsivo – tenta di normalizzare, ritrovandosi a replicare i genitori, e proprio in quel momento capisce quel che facevano loro, che era ciò di cui lei li accusava. No, non fingevano che tutto fosse come prima. Padre e madre ogni giorno dopo l'incidente dicevano al mondo: non abbiate paura di lei. Di questa ragazza strana, vivace.

Nella ricostruzione di una cronologia, nel mettere in parallelo le nostre vite, la mia e quella di Federica, chi ero quando lei sorprendeva sorella e figli nella vasca? Avevo un fidanzato, ero felice? Torno indietro, eccomi. Vorrei carezzare la testa della ragazza che piange, delusione d'amore (ho perso il conto dei rifiuti, mi pare un unico uomo che continua a rifiutarmi dai tredici anni in su), vorrei stringere la mano di quella creatura inconsolabile, dirle: tutto passa.

E ancora, procedendo in parallelo di eventi – matrimonio, parto –, soffermiamoci sul parto, sei anni dopo quello di Federica. Cosa ho pensato/sentito – non dolore, ho preteso il cesareo. Non dolore, piuttosto ansia. La medesima ansia di Federica, la riconosco adesso che me l'ha raccontata.

Sala operatoria, sono la donna distesa, la partoriente, tendina all'altezza del collo per ostruire la vista del sotto. Tramestio, movimenti. Sale l'angoscia, non il dolore, non c'è dolore. Esplode l'angoscia, non il dolore. Qualcosa andrà storto, la bambina non sarà quella dell'ecografia, quella vista per mesi sul monitor, compiuta, perfetta.

Medici e infermieri dicono parole da cui capisco che è fuori. Di lei non ricordo il primo vagito, né l'istante in cui la vedo, tra le braccia di un'infermiera, o pulita da una garza per mano di chi non so, quell'istante indelebile nella memoria delle madri. Non ricordo il colore della pelle – dicono che i bambini usciti dalla pancia siano rossi e sporchi di placenta.

Respira? mi sento chiedere di quella cosa che, appoggiata sul petto, dovrei stringere.

Ragazze infette, ecco cosa siamo state, Federica.

La nostra prossimità al danno. Le immagini di movimenti a vuoto, perdita di equilibrio, cadute, smarrimenti – dove mi trovo? –, persone e oggetti perduti per sempre: come si chiama lui? Come si chiama lei? Ed eravamo noi.

Al cinema usciva *Rain Man*, o forse era uscito da un pezzo e io lo vedevo in televisione. Lo vedevo e pensavo: i dementi sono geni.

17

Mia figlia è cretina. Ho sbagliato ad analizzare i comportamenti, l'astio verso di me. Andare indietro nel tempo per cercare punti di rottura in grado di motivare il rifiuto, parliamo di rifiuto, negazione del modello femminile materno. Un amante, uno dei tanti che si sono succeduti, in un letto d'albergo chiedeva se la bambina avesse mai preso il telefono, magari scoprendo i nostri messaggi, suo figlio lo aveva fatto, e per fortuna lui se ne era accorto stappandogli il cellulare di mano.

Negli anni andava e veniva il dubbio che Anita sapesse chi ero, fedifraga, bugiarda. Ridicola – nel caso avesse letto i messaggi. "Ti prego, dimmi che mi vuoi bene", "Ok, sparisco", "Io non ti scrivo più". "Mi scrivi, per favore?"

Fino a oggi, al disvelamento. Non ho sbagliato niente, o almeno non è dipeso unicamente da me.

Bene che lei abbia avuto il coraggio di dirmelo – o l'ardire? Che sia una sfida. Bene la telefonata dove con sdegno mi metteva al corrente. Bene perché è stato chiarito chi è davvero. Chi avevo creduto che fosse? Dapprima bambina ribelle con una sua personalità che la portava a rifiutare abiti non scelti da lei. Quindi adolescente introversa, piena di contegno, quel che a me era stato rimproverato di non possedere. Eccessiva, patetica, drammatica, egocentrica, burina, io avevo messo al mondo il mio opposto (grazie al cielo, ebbero da commentare alle spalle i parenti del padre). Poi figlia delusa per la separazione, o per altro di precedente, far coincidere il suo dolore con la nostra separazione potrebbe trattarsi di forzatura mia, quanto anche di manipolazione sua al fine di generare senso di colpa in me.

Incomprensione, distanza, arriviamo a oggi.

Oggi: fine degli interrogativi. Fine delle telefonate col padre nelle quali mi struggo sugli sbagli commessi, e lui rassicurante dice: è un periodo.

Fine delle scene sommate come in un film. Scene di odio, i momenti in cui dalla nascita – dalla nascita la bambina scoppiava a piangere se la prendevo in braccio, stringevo troppo? – mi rifiutava. Una carrellata di scene che ripassano nella mente stratificando – avendo già stratificato da tempo – il dubbio: cosa le ho fatto di male?

Gennaio 2019, risposta: niente.

16 gennaio 2019, mia figlia, colei che ritenevo intelligente, speciale, in quanto mia derivazione (da chi ha preso l'astuzia, la capacità di collegamento), proprio lei per telefono annuncia: vado a "Caduta libera".

Quando, nel corso degli anni, seppur a contatto tramite le mie frequentazioni con esponenti della cultura, persone famose, quando Anita ha manifestato l'intenzione di andare in tv? I compagni di scuola lo sognavano, tentavano provini – molti rapper –, lei studiava. E le volte che ero stata io in televisione, l'avevo dovuta tirare per un braccio: resta a guardare mamma.

Scherzavo sulla sua ritrosia ad apparire, che nell'intimo apprezzavo. Evoluzione del gene, quanta strada dai desideri provinciali che erano stati i miei (in ordine: "Zecchino d'Oro", attrice, a un certo punto – poiché nessuno mi aveva presa in considerazione, nessun adulto mi aveva trasformata in bambina prodigio, e nel frattempo ero cresciuta – un modesto mezzo busto).

Passano gli anni, mi deprovincializzo, studio, considero l'apparire cafone.

Per noi famiglia borghese si finisce sui media per essere ricordati (necrologio).

Qualcuno potrebbe obiettare: ehi, tu rimani la ragazza di paese, quella col koala. Immaginiamo una Lavinia che riemerge dal passato – due quarti, un quarto, niente.

Risposta: il vero ceto deriva dal matrimonio.

E io ho sposato bene dando vita a un frutto prelibato, fortunato chi lo coglie.

Acuta, colta, ha respirato cultura dalla nascita – mi pavoneggiavo con gli insegnanti. A sei anni aveva letto tutto *Harry Potter* e reclamava qualcosa di più impegnato (menzogna: non era stata in grado di leggere *Harry Potter*, troppo difficile, e nel momento in cui le proponevo un banale Geronimo Stilton domandava: è un topo vero?).

Ma atteniamoci ai ricordi manipolati: la bambina è speciale. Cresce, si trasforma in ragazza altrettanto intelligente, lasciamo stare il dettaglio che odia la madre. E dunque questa persona, esattamente questa persona non dozzinale, mia figlia, oggi cerca di partecipare a un quiz televisivo. Nemmeno partecipa, si sottopone ai provini nella speranza di essere scelta.

Smacco nei miei confronti. Vuole farmi vergognare, rendermi lo zimbello di amici e conoscenti.

Cosa le ho insegnato? mi sfogo con Federica. Quali valori? Chi sei per sognare di partecipare a un quiz? Non la conosco, l'ho equivocata. L'esempio, non dico di madre, di lavoratrice, consideriamo il mio esempio di donna lavoratrice, nullo.

Federica ribatte che non sta facendo niente di male. Mette alla prova la sua cultura generale, dovresti essere orgogliosa. Un omaggio a te, cerca di convincermi, un modo per farsi dire brava.

E io dall'altra parte del telefono, a casa, adagiata sul letto, io sospiro.

Le hai mai detto brava? rilancia Federica. Se stesse cercando di attirare la tua attenzione? Ci hai pensato? Cosa facevi tu coi tuoi, quante volte hai tentato il suicidio.

Dal padre vengo a sapere che le selezioni del programma si tengono a Milano. Lui sereno: lasciala vivere.

Indovinare la capitale della Norvegia sarebbe vivere? Ammetto di aver visto il quiz. Come quando Anita è partita per Londra, e su Google Maps sono andata a cercare l'università, la casa dove avrebbe abitato. Strade, panchine. La panchina su cui si sarebbe seduta nel caso avesse avuto bisogno di riposo, in una giornata di freddo, una giornata di caldo.

No, mia figlia non può partecipare a un quiz televisivo.

Rimugino: una ragazza che ha passato il test di Medicina alla Sapienza, in seimila per novecentoventi posti, e al contempo a Londra, finendo per scegliere quest'ultima che significava un'esperienza all'estero. Una ragazza che, se si escludono gli anni delle elementari, non ha avuto pretese, vedi la festa di diciott'anni che io volevo organizzare in campagna, nel convento del Cinquecento della nonna paterna, o in città, affittiamo una villa, un palazzo storico; vedi la sua festa che lei ha preferito trascorrere con le amiche intime, tre. E io, mentre fuori sbraitavo, dentro m'inorgoglivo: ho messo al mondo una che sa scegliere.

Ebbene lei, proprio lei, oggi vuole andare a fare il pagliaccio in televisione.

Non esagerare, cerca di acquietarmi Federica, portando a esempio i suoi figli. Come penso si sia sentita lei quando hanno provato a chiedere a Leonardo se fosse gay, nella speranza che lo fosse – sarebbe stata una spiegazione alla solitudine, al suo ritrarsi dal mondo –, e lui aveva risposto no, mandandoli in confusione, lasciandoli nel dubbio che fosse depressione. Col tempo hanno capito che si trattava di indole, è una generazione particolare, asessuata.

Dobbiamo accettarli per ciò che vogliono essere, moraleggià, non possiamo ripetere gli errori dei nostri genitori. In fondo è già un miracolo che siano sani. Li leggi i giornali? Pieno di queste storie, giovani che non si riprendono dalle droghe, una pasticca e via.

Ecco il problema, Federica, il tuo pensiero guida, ragiono tra me e me. La distanza da tua sorella.

Anche adesso parla a me, ma sta parlando a se stessa. Pensiamo di avere tanto tempo a disposizione, dice. Ci crediamo eterni, vivi come se fosse l'ultimo giorno, mi lascio trascinare.

Mi lascio trascinare dall'amica ingenua, una donna che se avessi conosciuto oggi avrei allontanato. Vale la regola dei rapporti di sangue: l'umanità che ti capita. È pur vero che io mi sono ribellata all'umanità capitata, troncando i rapporti con gran parte dei familiari. Morti i miei, ho abbandonato tutti, tranne mio fratello di cui non sopporto la prepotenza, la cadenza metà romana metà toscana che crea l'ibrido burino. Mio fratello gemello, e i miei genitori, finché ci sono stati.

Vedi mia madre – su mio padre non ho fatto in tempo a sviluppare un vero senso critico, santo o pedofilo.

Invece lei, mia madre, la pochezza culturale, i libri che ho trovato dopo la sua morte: *Il gabbiano Jonathan Livingston*.

Le carte accumulate, quali pagamenti di bollette dall'85, o la dettagliata documentazione di perizie e materiale fotografico in merito al terrazzino abusivo dei vicini. Migliaia di carte che ho rinunciato a visionare. Un po' per resa – non sarebbe bastato un anno –, un po' per viltà, aveva ragione Federica? Federica adolescente a cui mia madre senza denti apriva la porta.

Nella camera da letto, dopo la sua morte, nella camera da letto stracolma di fogli e oggetti, io rigida quasi ci fosse il rischio di contaminazione, mi sono chiesta: non era forse un principio di barbonismo il suo? Non ho capito niente.

Perché stupirsi allora che alla folla di sconosciuti oggi si aggiunga mia figlia?

Non conosco lei, né mio fratello gemello, né il mio ex marito. Non conoscevo mio padre, così mia madre. Circondata da estranei dall'infanzia.

Momenti di disconoscimento a cui seguono disvelamenti, a cui segue senso infinito di solitudine, dove sono, chi sono (quanti a domandarlo in questa storia):

– di ritorno dalla sala operatoria dove mi hanno estratto gli ovociti, terzo tentativo consecutivo di fecondazione artificiale, non mollo. Di ritorno dalla sala operatoria, tra i postumi dell'anestesia, intravedere le sagome di marito e madre circondare la barella davanti alla mia, chiedere alla donna come stia, quindi accorgersi che non sono io, scusarsi. Da stese ci somigliamo tutte.

– Mia figlia che alla recita di Natale, dal palco, fa ciao a una donna grassa, sciatta, per poi rendersi conto che non sono io, e tornare a cercarmi con gli occhi, trovarmi.

Ci siamo inventati, prodotti di desideri e paure. Ho detto che ricordo mio padre altissimo? Un metro e novanta. E mio fratello gemello di fronte al quale ogni volta trasecolo, non erano verdi i suoi occhi?

Ragionamenti recenti, in precedenza non ci facevo caso. In precedenza vinceva l'invenzione. Adesso indugio, vacillo. Estranea in mezzo a estranei.

L'unica che sembra conoscermi è Federica. Questa persona che dice: tu così buona. Hai un cuore immenso, aggiunge, e io non m'interrogo sul perché lo dica, quando proprio con lei, e con Livia, sono stata cattiva. Non m'interrogo, io sono come racconta lei. Generosa, onesta. Nella voglia di aderire a questa rappresentazione – la migliore nella vita e nel lavoro – metto da parte l'orgoglio, riscrivo al caporedattore. Di nuovo la proposta dell'anoressia, divento perentoria, al limite dello sprezzante. Chiusi nella vostra bella redazione non vi siete accorti che nel mondo le ragazze stanno morendo, scrivo. Le ragazze hanno smesso di mangiare. Raccontarlo è un dovere. Andare in loco, nell'unica struttura pubblica in Italia che prevede la cura specifica attraverso menu personalizzati, e relativo ricovero/permanenza. Un centro che non è una clinica, bensì una residenza, allego foto. Sarebbe un crimine chiudere gli occhi, ribadisco per iscritto e per telefono, aizzata da Federica. Compito di noi adulti è proteggere le nuove generazioni. Questi sono i nostri figli, i nostri figli fragili che non possiamo abbandonare!

E questa formula da dove arriva, scrittrice? I nostri figli fragili.

Più avanti, molto più avanti, dirò a me stessa: torna in te.

18

In treno per Milano Federica ripete che dovrei essere fiera. Guarda che in quelle trasmissioni vanno solo i geni, precisa, non è che può andare chiunque. Nonostante le rassicurazioni, io continuo a riflettere su cosa abbia sbagliato con Anita. Analizzo, ipotizzo. Il telefonino a sei anni, la casa delle bambole extralarge con cui non ha mai giocato e che di recente ho ripreso dalla cantina – in memoria di te, di me.

E ancora: scarpe col tacco troppo presto. Tornano alla mente le circostanze in cui rifiutavi di uscire, fatemi stare con voi, imploravi. Il bisogno di avere confini, un territorio delimitato, da me scambiato per paura del mondo, complessi fisici, tanto da dirti: guardati allo specchio, sei bellissima – e parlavo a me stessa, era la me adolescente che sovrapponevo e spronavo. Per concludere, senza che tu avessi detto una parola: ok, forse il naso, andiamo da un bravo chirurgo. Già che ci siamo correggiamo anche le orecchie.

Intanto Anita prendeva questi incoraggiamenti per critiche.

Passo in rassegna i conflitti, alla ricerca di una risposta che non trovo. Perché ce l'ha con me?

Esame di coscienza durante l'intero viaggio, e oltre. Taxi, albergo.

Per risparmiare abbiamo preso un'unica stanza, sorvoliamo sul fatto che, nel consegnarci le chiavi, l'uomo della reception dica "benvenute signore" in tono strano, potrebbe essere solo una mia impressione. Negli ultimi tempi è riapparso il timore del giudizio altrui. Cosa pensa il mondo vedendomi. La paura che la gente possa commentare, torna quel camminare rasente ai muri, evitare gruppi di persone.

Eccomi verso l'ascensore, col trolley a strascico, ancora peso morto, bambino che non vuole venire.

Sul letto riprendo fiato, ultimamente sento una gran fatica, che Anita lo sappia, capisca il sacrificio.

Chiudo gli occhi mentre Federica fa avanti e indietro dal bagno. C'è un solo accappatoio, protesta, dov'è il secondo.

Ho fame, dico io. Ordiniamo per telefono.

Sento caldo. Mi spoglio, rimango in mutande. Sarà l'agitazione, dico. Sai da quanto non vedo Anita?

Sul letto, mangiando sandwich e patatine, i discorsi si fanno più intimi. Togliamo la ruggine dell'imbarazzo: la prima volta che me lo sono fatto mettere dietro, chi era? dico avendo in testa, nitido, il momento in cui lo confidavo a Federica, eravamo in terrazzo, quasi che l'esperienza vera si compisse nelle chiacchiere tra me e lei. Piuttosto si perde lui, il maschio che mi ha sverginato nel culo. E i rossetti rubati in profumeria? E la volta della testa nel giardino del vecchio? (Ancora il ricordo di questo evento irrilevante.)

Impieghiamo del tempo per arrivare al presente, la vita andata in pezzi.

Giorgio, racconta Federica, non la toccava da tre anni, neanche una mano sul braccio, se fossero stati onesti si sarebbero separati prima. I figli però sono straordinari, dovresti conoscerli, dice. Il grande, poi. Quanto ha patito il conflitto col padre che non lo accetta per quello che è, lo vorrebbe diverso, estroverso, dongiovanni, chissà. Insomma, Giorgio non era l'uomo intelligente che lei credeva, deve riconoscerlo. Un'altra dimostrazione di ottusità, una delle tante dice, negli anni ne ha fornite parecchie, prove su prove della ristrettezza mentale, questione di cultura, ambiente in cui cresci. Quindi Federica rievoca l'episodio della vasca, Livia e i bambini nella vasca. Da lì Giorgio ha interrotto ogni rapporto con la cognata, impedendo anche ai figli di vederla.

E giù il racconto della tensione crescente, di ulteriori avvenimenti che hanno portato alla distanza tra lei e lui, giù il resoconto di un matrimonio andato gradualmente in frantumi, riferito con malinconia, e un senso di sconfitta a me insopportabile – questione di rispecchiamento –, tanto che forzo il cambio di discorso. Sesso? chiedo.

Con lui?

Fuori.

Lei scuote la testa: ho fatto la mamma.

Non puoi chiuderti a riccio, reagisco. Sei giovane, tante possibilità – e dico tu, intendendo noi. Avere rapporti sessuali giova al benessere fisico. Quella cosa che dopo si rilassano i lineamenti, si liberano le endorfine.

Fermiamo l'istante: due donne sul letto. Una in carriera (quasi tramonto, ma al momento nessuna delle due lo sa), in carriera con famiglia divisa, l'altra priva di realizzazione professionale, sacrificata in nome della famiglia poi disintegratasi. Due donne sul letto, una vita trascorsa a separarle per ricongiungerle nello stesso declivio o precipizio. Qual è la differenza tra loro. La distanza si annulla.

Quando arriva il mio turno racconto dell'amante che frequento da poco, e di quello prima, l'uomo sposato che chiedeva di lasciare mio marito. Ci penso ancora, confesso. Veniva in albergo, negli alberghi, mi scopava, se ne andava. E io restavo a letto per il resto del giorno, in genere arrivava di pomeriggio. Mi facevo portare la cena in camera, il più delle volte non la toccavo, illanguidita e immobile a ripensare a lui.

Eppure, dico, quello che superava tutto, lui che non chiamava, che rimaneva un paio d'ore scarse. Ciò che annulla-va le mancanze è che non provavo vergogna. Una volta mi sono alzata per andare in bagno nuda, completamente nuda, e quando mai prima. Con lui mi sentivo bella, così bella.

Perché non ti sei rifatta? domanda Federica.

Tra una cosa e un'altra, il tempo, i soldi.

Ma ormai costa poco, quattromila, cinquemila.

Non so il motivo – m'innervosisco –, alla fine non l'ho fatto, ok? Anzi lo so, il mio è un lavoro impegnativo, ho la-vorato tantissimo.

Sottotesto: mica come te che di tempo libero e soldi ne ave-vi, tu che hai potuto, e chissà quando, magari ai tempi in cui costava dieci, quindici milioni di lire. Ricordo quei tempi, il chirurgo che dice: quindici milioni, è un lavoro complica-to il suo. E sai perché? – discorso interiore – Era uno di voi, uno che operava nelle cliniche di quartiere, uno che lucra-va su noi complessati, difettosi figli di nessuno.

La rivendicazione sociale risale. Fuoco che arde all'im-provviso e che se divampasse distruggerebbe ogni cosa. La bomba che invocavo albergava dentro di me – al posto del cuore, al posto di un organo pulsante, quello femminile.

Non esplode.

Su questo letto, il risentimento, il senso di ingiustizia ri-mane dormiente.

Forse a dimostrazione che siamo un'unica persona, che i miei sogni irrealizzati per mancanza di soldi li ha realizzati lei per entrambe, Federica solleva la maglietta.

E io ipnotizzata dalle sue tette.

Sì alla chirurgia plastica. Diciamo sì alla chirurgia pla-stica. Tutte insieme, coro di noi, nessuna esclusa (in pas-sato qualcuno ha sostenuto che Emanuela Orlandi vivesse in Turchia, e si fosse sottoposta a un'operazione di chirur-gia plastica per cambiare i connotati e non essere ritrovata).

Evviva la chirurgia.

È doloroso? chiedo.

Giusto un po' di fastidio al risveglio.

Commento che deve essere incredibile addormentarsi piatta e risvegliarsi maggiorata, il sogno di una vita che si realizza.

Senonché lei rivela: tumore.

Non so che dire, che si dice in queste circostanze.

Un secolo fa, precisa.

In quel periodo mi ha pensato, dice. Per un paio di mesi è stata come me, peggio. Una non ce l'aveva proprio, asportata. L'operazione nel complesso è stata semplice, la fase ricostruttiva intende.

Da una parte protesi e capezzolo, vedi qui – indicando –, tatuaggio.

Dall'altra protesi. In questo non avere tette conviene, dice. Nel suo caso ha permesso di inserire due protesi uguali. Sottomammarie, quelle sopra fanno schifo, si vedono lontano un miglio, avverte. Se dovessi decidere, taglio ascellare, cicatrici invisibili. Se dovessi decidere, mi dà lei il numero del chirurgo, un mago. Ovviamente Livia non sa niente, del tumore e del resto, su queste faccende va protetta.

Cos'è Livia da qui. Come aleggia la sua figura a distanza, nella finestra d'albergo dove svetta una torre illuminata, cosa sia di preciso chi lo sa, faro nella notte, utopia. Basta una luce nel buio a convogliare le speranze, come il tappeto azzurro di un tempo, mano nella mano.

Trilla il telefono, Federica controlla lo schermo – Livia. E quando apre il link inviatole dalla sorella, ci ritroviamo ad ascoltare una canzone.

A questa distanza Livia è una vecchia canzone della nostra giovinezza.

19

Sto per rivedere mia figlia, da quanti mesi non la vedo, battito cardiaco accelerato. Prendile un mazzo di fiori, propone Federica. Inorridisco. Fermiamoci un secondo, i piedi. La soletta gel, fa lei. Nelle scarpe da ginnastica? Sempre, ancora lei: sul morbido i piedi non si gonfiano. Due donne di mezza età. Due donne di mezza età su una strada di periferia, le macchine a sfrecciare di fianco, e lassù, incastonata nel cielo grigio, la torre Mediaset.

La sera prima, sulle note della canzone d'amore mandata da Livia, siamo rimaste a guardare le luci della torre, quasi fosse la luna, qualcosa di altro e di bellissimo, e ci siamo addormentate. Un sonno lungo alla vigilia di questa giornata importante preparata nei dettagli – pass, numero dello studio. Peccato che all'ingresso del centro di produzione veniamo informate che il quiz sarà registrato di pomeriggio.

Tragitto al contrario, rientro in albergo, discussione sui fiori. Inverno, temperature al di sotto della media stagionale, grondo di sudore.

Negli ultimi tempi sono affaticata, aggiungiamo il dolore fisso alla pianta dei piedi. Sei ingrassata, dicono le amiche, troppo carico su ginocchia e piedi.

Letto, servizio in camera. Accoccolarsi giusto un attimo, addormentarsi – mi addormento ovunque.

Più tardi nella hall scopro di aver dimenticato il documento, al che Federica si offre di risalire. Tu siediti, dice trattandomi da malata. Mentre sprofondo nella poltrona, l'uomo della reception sorride. Al momento sono in due al bancone. Li vedo darsi di gomito, so che parlano di me, di noi, non sono scema. E sto per alzarmi, impartire loro una lezione, quando qualcosa arriva a bloccarmi, un pensiero: questa giornata deve essere dedicata ad Anita, il bene chiama bene – è entrato in circolo il condizionamento di Federica –, se semini amore eccetera.

Eccomi di nuovo fuori dagli studi televisivi.

Chissà se vedendomi Anita sovrapporrà l'immagine a quella di mille ragazzi, mille fiori.

(Lo penso io che agli uomini, i pochi uomini, ho vietato di regalare fiori. Diamanti, cigno, donatemi qualcosa che rimanga nel tempo – vita media di un cigno?)

Io che detesto i sentimentalismi, io che non sopporto le commedie romantiche.

Mazzo di rose in mano, eccomi a ripetere le scene banali dei film d'amore. Solo che sono una madre, non un innamorato (sicuri che, dopo anni di incomprensioni, quel desiderio di tornare vicine, quel bisogno di tenersi una nelle braccia dell'altra – perché mia figlia da piccola mi teneva tra le braccia, succedeva d'improvviso. Io distesa, io seduta, e questo essere minuscolo tentava di circondarmi, rimanendo a metà, meno della metà, come una cintura che non si chiude. E allora: sicuri che quella nostalgia non sia pari, se non superiore, al desiderio disperato di un innamorato respinto?).

Eccomi sulla strada, se fosse una commedia romantica pioverebbe.

Madre rinnegata pronta a riabbracciare figlia rinunciando a recriminazioni, anzi: partecipa al quiz, sono con te, la capitale dell'Etiopia, amore?

Sperare che qualcuno ti abbia già aspettata così. Nessuna rosa per me, centinaia per te.

Sempre voluto mettere al mondo una ragazza più amata di me.

Da quanto non la vedo, sei, sette mesi. A quest'età un periodo sufficiente per trasformarsi.

Dovesse essere in mezzo alla folla, fosse questa una scuola, l'università, non la riconoscerei. Madre snaturata, assente, ottantacinque centimetri. Ottantacinque centimetri di altezza, 24 di piede. Ho fermato mia figlia a due anni, poi sbiadisce. Quando chiudo gli occhi la prima immagine di lei: ottantacinque centimetri. Solo dopo la mente si sintonizza sul tempo reale. Cosa che se avessi raccontato all'analista, avrebbe sentenziato: lei procede a balzi. Cristallizza le persone, suo padre a cinquant'anni, sua figlia a due, non permette alle persone di crescere, morire – immagino parola per parola.

Ma poiché non ne ho parlato all'analista – uno dei tanti, succedutisi come gli amanti, presi, abbandonati –, ho evitato di sentire il discorso. Banalissimo discorso, dottore, dottori, tanto che sono qui, in attesa di mia figlia, la quale, in quanto adulta, ha deciso di intraprendere una strada da me non condivisa, eppure.

Eppure sono da lei, mazzo di rose, e il timore di non riconoscerla – da cui il senso di colpa e, nel caso, la conferma che avevate ragione voi, dottori, malgrado non abbiate proferito parola. Avevate ragione: cristallizzo, fermo.

Poi compare lei, e no, non cristallizzo. La mia bambina che riconoscerei da dietro, dall'alto, di sguincio.

Trattengo le lacrime (che stia diventando patetica come Federica?). E se non fosse mia figlia a venirmi incontro, giuro che lo farei io, mi getterei tra le sue braccia – ribaltamento di ruoli.

Che ci fai qui? parte all'attacco Anita.

Non voglio litigare – io, porgendo le rose.

Ho la registrazione.

Provo a dirle che non ho fretta, cerco un bar con la mia amica, aspetto. Lei ribatte che ci vorrà un'ora, due, non sa, e vedendomi decisa a restare si innervosisce. Sei ansiogena, sbotta.

Fermiamoci un attimo. Dall'inizio, dal primo istante in cui sono diventata madre ho controllato l'ansia, si è trattato di un esercizio. Inspira, espira. La bambina non cadrà, scivolerà. Nessuno le farà del male. Capitava che la nonna paterna lasciasse uno dei suoi cani libero per casa, mentre mia figlia gattonava, poi camminava, comunque minuscola, sarebbe bastato un morso, un solo morso di quella bestia. Tutti a dirmi: rilassati, Pluto non fa niente.

Non cadrà, scivolerà, precipiterà, affogherà, non succederà che di notte smetterà di respirare – dicevo a me stessa, alla madre e alla bambina, dicevo nel letto allungando la mano a lei, rannicchiata di fianco. Fino all'età di otto anni Anita ha dormito con me, o io con lei. Era più un bisogno mio, anche quando lei, sufficientemente grande, diceva di voler dormire nel suo letto. E io rispondevo: non stasera – farfugliavo –, lunedì.

Cosa sia avvenuto dopo, dalla bambina nel letto a questa ragazza che mi volta le spalle ed entra nello studio televisivo, non so.

Mia figlia sparisce oltre la vetrata, e io cerco conforto in Federica: hai visto com'era fredda.

Mazzo di fiori. Ridicola, io.

Amareggiata, rabbiosa, incerta, perduta, in mezzo a una folla di persone, chi sono tutte queste persone (in un secondo momento scopro che si tratta di figuranti, e in un secondo momento ancora, mesi dopo, decido di intervistare un uomo che lo fa di mestiere, che sia un modo inconscio di avvicinarmi a mia figlia?*).

Passa un'ora, due, e Anita mi ritrova esattamente nello stesso punto, mazzo di fiori. Spasimante tenace.

Nel rivedermi si altera, reazione impercettibile, quell'assottigliare gli occhi, quel mordersi l'interno della bocca.

Ti avevo detto di non aspettare.

Andiamo a cena, c'è Federica – indico –, ti ho parlato di lei?

Ho un appuntamento.

Dove dormi?

Da Chiara.

Suppongo che Chiara sia un'amica. Potrebbe averla nominata, e io potrei non ricordare, sono distratta. Mea culpa: le volte che ho sbagliato i nomi dei tuoi amici. Le volte che ho sbagliato il tuo, chiamandoti Agnese, e tu chiedevi: chi è, e in effetti non esisteva alcuna Agnese nella mia vita presente e passata, da dove sbucava quel nome se non dall'incuria. Non per sovrapposizione di persone care, il nome di mia madre, mia nonna. Probabilmente l'ultimo nome sentito spegnendo la tv.

Prendi almeno i fiori, dico cercando di trattenerla.

Ci sentiamo domani, fa lei.

Ti accompagno in taxi – io, ma a quel punto lei è già lontana, e non sente, o finge di non sentire.

La figura alta, slanciata, rimpicciolisce sulla strada. A breve uscirà dal mio campo visivo per la seconda volta, la prima è stata nella pubertà.

Pubertà: tenevo d'occhio la crescita del suo seno. Non importava piccolo o grande. Fai che sia pari, pregavo, sì pregavo, frattanto m'informavo: si può operare una ragazza under diciotto?

Under quanto?

Tredici, quattordici.

Al silenzio del chirurgo, rilanciavo: sedici. Diciassette!

Anita ne aveva undici, stava sbocciando, e in alcuni momenti ho avuto la certezza – illusione ottica o no – di cogliere, sotto il costume, la maglietta, comunque in estate, tra i glicini della casa in campagna, a correre sul prato, bordo piscina, tra i glicini io ho avuto la visione di un essere sghembo. Che fosse mia figlia, o me stessa di ritorno dal passato, davanti ai miei occhi si stagliava una creatura infelice.

Abbandonata sulla strada. Senzatetto mendicante, vendo rose. Butto rose, con Federica che tenta di fermarmi. Vattene, la scanso. Aveva degli impegni, ribatte, ti ha solo detto.

La interrompo: puoi lasciarmi sola, per favore?

E me ne vado, non so dove, nel labirinto degli studi televisivi.

Passo dopo passo la rabbia dardeggia, non è bastato gettare le rose. Se ora tornassi in albergo, per esempio. Rientrerei battagliera a sistemare i tizi della reception, tutti i lavoranti dell'hotel, camerieri, inservienti, a fronteggiarli. Voi che avete pensato due lesbiche, due vecchie lesbiche, lo so. Ebbene voi: sapete chi siamo davvero noi, chi ospitate nel vostro albergo? Due adolescenti inquiete, pazze, represse, vergini, sadiche, scriteriate, immorali, pericolose, vergini vergini. Attenzione che, se ci gira, qui salta tutto. L'impulso di distruggere, la tentazione di far esplodere non si è mai sopita ("Ha fatto esplodere la sua famiglia" scrive @nick999 di me, e mai nessuno quanto quel @nick999 mi ha capita meglio).

Cammino, rimugino, cambio capro espiatorio. Colpa di Federica, sua e del lavaggio del cervello, perché l'ho ascoltata. Scema io a seguire una come lei.

Chi è questa donna per insegnarmi ciò che è giusto e sbagliato. Per forzare la mia natura portandomi a essere quel che non sono. Cammino, la rabbia s'impenna, chi è questa persona banale che parla del tempo come dono prezioso, della vita come viaggio, e interpreta ogni cosa come segno del cielo, tipo i sassi a forma di cuore che le capita di trovare sulla spiaggia d'estate, ogni estate, su qualsiasi spiaggia, dice, addirittura dall'altra parte del mondo, una volta alle isole Fiji: dimmi se non è un messaggio questo, qualcuno da lassù che vuole dirmi qualcosa, mia madre.

A questa donna io mi sono consegnata. Che sia una forma di circonvenzione, la sua. Immagino possibili scenari: lei che chiede soldi. Supponendo chissà quali guadagni miei – eccola a implorare un prestito, ricattarmi.

Oppure: se fosse davvero lesbica? Se lo fosse stata già allora, e per convenzione borghese si fosse sposata, covando nell'intimo un amore mai sopito? Così si spiegherebbero gli articoli ritagliati che parlano della mia carriera, la compulsione nel ricercare notizie su di me. Si spiegherebbe la mancanza di astio verso la mia persona che l'ha ferita, cancellata. Mi amava, mentre io le donavo amicizia, lei a fatica dominava la pulsione erotica.

Inorridisco, e insieme intenerisco all'idea di me. Me adolescente, innocente me sul tappeto azzurro.

Era l'amica il mostro, altro che il padre, suo il corpo incombente, la mano che s'infila nelle mutande. O forse no. Si confondono le mani. Qualcuno ha approfittato del mio candore. Povera me – torna l'autocommiserazione –, piccolissima me (lascia perdere che pesavo ottanta chili, dimentica lettore che disprezzavo madri, ingiuriavo padri, sognavo di uccidere compagni di scuola, se non tutti, una, Lavinia). Io ero la vittima. Vittima vergine di un mondo feroce, cosa mi avete fatto, cosa avete fatto alla ragazza grassa, Federica, madre, padre. E senza soluzione di continuità: datori di lavori, lettori.

Quanta violenza su di me, come mi avete ridotta. La rabbia recalcitra, anch'io.

Entro in uno studio.

Salgo scale, scendo scale, attraverso corridoi, apro porte, scavalco, mi perdo.

Adesso voi penserete che stia piangendo, è arrivato il momento di piangere, scrittrice, prendere coscienza di quanto poco hai costruito, e distrutto, neanche sulla distruzione hai il primato. Il momento di riconoscere la solitudine immensa che è la tua vita, il fallimento, la caduta rovinosa da cui non puoi risalire. Fine. Quel che potevi essere non sarai più. Sei questo, e sei davvero poco.

Malgrado tutti voi m'immaginiate in lacrime, io non piango. Non piango, né piangerò. Non mi vedrete singhiozzare nascosta dietro un pilastro – a guardare meglio una palma – della scenografia di uno studio televisivo.

Sono una donna forte, capace di affrontare i rovesci del destino, una che mai si è fatta spaventare dalla solitudine. Calcolando, ho trascorso più tempo da sola che in compagnia.

Vedi l'estate: i coetanei in spiaggia, e io in camera, persiane chiuse. Perché, i capodanni a guardare la televisione?

Quando dopo aver fatto l'amore lui se ne andava, se ne va, e io resto. E il tempo da sola nel letto diventa sei, sette volte quello passato in due. A immaginare confidenze mai avvenute.

Ed è in quelle ore dopo di lui, di loro, di voi, che il rapporto diventa intimo, struggente. In solitudine si compie l'amore.

Figurarsi se ora, in uno studio televisivo, sotto una palma finta, piango. Nessun disvelamento improvviso. A breve scatto in piedi e vado via. Ancora un po', indugio in questo nascondiglio perfetto. Lo spazio piccolissimo ricercato da bambina. Rannicchiarsi, respirare. Silenzio assoluto, un silenzio che in natura non esiste.

Potrei rimanere qui per tantissimo, se non fosse che d'un tratto diventa buio. Le mille luci si spengono – mille luci del palcoscenico, mille luci di una vita felice.

Lungi da me credere in spiriti sovrannaturali. È sera, l'addetto avrà chiuso non sapendo che dentro c'era qualcuno. Sai le volte che sono rimasta a casa senza luce, le volte

117

che il mio ex mi lasciava nottetempo nella casa in mezzo al bosco, fuori ululati di lupi e altro (cerbiatti, avrei saputo in seguito, i cerbiatti urlano, gemono – per chi li associa a quelli leggiadri dei cartoni animati). A essere onesti ho smesso di avere paura da un certo punto in poi, dal momento in cui nel letto di fianco a me c'era un corpicino, quello di mia figlia. Pochi mesi, uno, due anni, e oltre, sette, otto – l'ho già detto. Non so se avesse a che fare con la protezione, io che avrei dovuto proteggere lei, o viceversa, credo che riguardasse più la prospettiva che, qualsiasi cosa succedesse, potesse succedere – sovrannaturale o reale –, fossimo in due. Era un libro o un film, mai individuato la provenienza esatta della scena che maggiormente ha colpito la mia sensibilità: una donna s'impicca col suo gatto. L'idea che se ne andassero insieme, lei e il gatto, le toglieva la paura. Guardando o leggendo ho pensato: anch'io.

Se da sola sono stata una persona terrorizzata, da madre no. Lasciatemi ovunque, di fianco a mia figlia addormentata, e non arriverà nessuno.

Dagli anni con lei ho imparato il coraggio anche in sua assenza, ho fatto scorta di audacia. Dormire in case vuote, camminare in strade buie, nel bosco, quello che da piccolissima lei chiamava giungla, e che mi era parsa una metafora perfetta della nostra famiglia.

Pertanto adesso la mia è insofferenza.

Irascibilità per i piccoli accadimenti che comportano spreco di energie. A tentoni cerco il telefono. A questo punto vi aspettate che non ci sia campo, e io prigioniera in preda a panico, freddo.

Sbagliate. Valuto di chiamare il 113, troppo lunga da spiegare. Chiamo Federica. Sono in uno studio, c'è una palma, descrivo.

Lei si agita, mi troverà, avvisa la sicurezza, sta arrivando. Calmati, dico.

L'anno scorso, per il reportage sui disturbi del sonno, appassionandomi a tal punto da trattenermi oltre il dovuto all'ospedale di Bologna, passandomi per la testa persino di scrivere un libro sull'argomento, e annunciandolo al primario, il medesimo diceva: l'ho osservata, non so quanto i farmaci che prende siano giusti – per puro esibizionismo, avevo confidato dei farmaci. Quindi il professore, uno dei massimi esperti di disturbi del sonno nel mondo, parlava di cataplessia, e io ridendo dicevo: no, figuriamoci. Al che lui: dormendo le capita di sentire presenze come fossero reali? Qualcuno sopra di lei che tenta di soffocarla?

Rivendico oggi, come ho rivendicato col professore l'anno scorso: tutto quello che vedo/sento è reale. Ieri, stasera, nello studio televisivo, in questa specie di notte artificiale – quanto le palme, quanto la mia quiete interiore – dentro la quale sento, giuro che li sento, scalpiccii, battiti d'ali – che qualcuno venga a dirmi che qua dentro non vola qualcosa. A un certo punto riconosco il respiro di mio padre. E dovrei sentirmi sollevata, eccolo sceso a proteggermi, forse sono finita qui per avere la possibilità di rincontrare lui. E provare sicurezza. Leggerezza, ricongiungimento, piroettare sotto il suo sguardo, piroettare, volteggiare.

Invece, nel sentire il suo respiro, imploro: non farmi male.

Io piccola, più piccola, a rimpicciolirmi in un angolo. A pensare che me lo merito. Tu, scrittrice, meriti che ti venga restituita la violenza che metti scrivendo, con la quale abusi delle persone che ami muovendole a piacimento. Sbugiardandole, svergognandole. Non conosci pudore, ingrata figlia, deplorevole madre. Meriti la vendetta di tuo padre, che decida lui il modo, e che in questo modo – speri, serrando forte gli occhi – torni la pace.

Potrei richiamare Federica, ma non riesco a muovermi, temo anche solo di parlare, sussurrare, non chiedetemi perché, niente è razionale, come nella giovinezza, è giovinezza, quando sentivi una presenza in camera. E ti rannicchiavi, e cercavi di non respirare pur di non farti sentire.

* Stralcio di intervista a Daniele Sartini, trentasette anni, informatore scientifico presso industria farmaceutica, figurante per hobby.
L'esperienza televisiva maggiormente significativa?
Un programma di cucina di cui non posso fare il nome. Registravano a Roma, gli studi erano fuori città, praticamente campagna, infossati in una valle. Entriamo col sole, usciamo che è tutto bianco. La nevicata del 2012.
Conseguenze?
Rimaniamo imprigionati. Le macchine bloccate, cadevano alberi. E sa che succede? Quelli della produzione si preoccupano di mettere in salvo i conduttori. Fanno arrivare due van, e se ne vanno spiegandoci che non possono caricarci. Tanto ora la neve si scioglie, dicono, alle brutte possiamo dormire nei camerini. Trenta persone isolate, i telefoni non prendevano.
A quel punto?
Abbiamo provato a risalire a piedi. Io sono scivolato. Qualcuno ha gridato: aiuto. Niente, non c'era nessuno nel raggio di chilometri. Siamo rientrati.
Quante ore siete rimasti bloccati?
Dodici, tredici.
Cosa ha pensato?
Che potevamo morire.
E?
Alla fine sarebbe stata una bella morte. In uno studio televisivo, tutti insieme.

20

Federica urla il mio nome. A seguire una voce maschile: si-gnora, signora.

Gli occhi si abituano alla luce. Studio, palma. Persone in avvicinamento, tra cui lei che si butta ai miei piedi. Come stai, chiede.

Signora, siamo arrivati.

Alle spalle di Federica tre vigilanti. L'imbarazzo di aver smosso tante persone.

Non è successo niente, sdrammatizzo. Loro si protendo-no su di me come se fossi sotto un cumulo di macerie, una valanga di neve.

Ribadisco che sto bene, è stata solo una questione di luce, non riuscivo a trovare l'uscita.

Andiamo, dice Federica tendendomi una mano.

Venga, signora, sollecita uno dei tre, mano tesa anche lui.

Non ho perso l'uso delle gambe, rimbecco, restando se-duta. Federica domanda se non mi sia fatta male, riesco ad alzarmi?

E allora chiedo se possiamo restare sole.

Rivolta agli uomini, lei spiega che sono agitata, possono aspettarci fuori, per gentilezza? Pochi minuti.

E si siede di fianco a me. Sotto la palma, lo sguardo di entrambe frontale, quasi ci fosse un vero orizzonte. Per tutti gli anni che sono trascorsi dal tappeto azzurro, prendimi la mano.

Sono bagnata, dico.

A un'altra persona avrei dovuto spiegare, non a lei che scatta in piedi, si toglie il piumino, sfila il golf dalla testa. Annodatelo in vita, dice.

Si vede lo stesso.

Mettilo.

Aggrappandomi alla palma mi sollevo. Via il cappotto. Avvolgo il golf in vita.

Succedeva nell'adolescenza. Se ridevo troppo, se avevo uno spavento. Ho sedici anni. Bagno divani, materassi. Come un cane. Impossibile trattenerla. Rido, sobbalzo, mi piscio sotto. Provo vergogna.

Vergogna sul sedile posteriore della macchina di Massimo, quando a me e Federica prende la ridarella, una battuta, una situazione che oggi ci lascerebbe indifferenti. Ridiamo per un nonnulla. A sedici anni, diciassette. Ridiamo tra noi, nell'incomprensione degli altri. La imploro di tacere, non riesco a fermarmi. Rido, rido, succede.

Vergogna in camera di Lavinia (a distanza di trent'anni ora lo sai, Lavinia. Sono stata io a pisciarti sul letto).

E la mattina, al risveglio, le notti che ho avuto paura, quelle notti che sentivo una presenza sopra di me, aveva ragione il professore, il luminare. Quelle mattine che tolgo le lenzuola e le metto a lavare sperando che mamma non se ne accorga, o, dovesse accorgersene, augurandomi che pensi lacrime, primi amori.

Quali primi amori. Da morta, madre, posso confidartelo: a mettermi il cotone nel reggiseno, nella parte reietta, a togliere le mani di maschi per spostarle dall'altra parte. A non spogliarmi, sottrarmi, farmi fare di tutto pur di non essere guardata, senza provare piacere – il piacere è dei corpi armoniosi –, prendere l'iniziativa, scopami, vienimi dentro, pur di non essere scoperta. Datemi la tunica, datemi il buco, le donne dell'Ottocento lo facevano con la tunica bucata.

Dunque no, le lenzuola bagnate non erano lacrime. Sedili, divani macchiati non erano animali. Risarcisco le spese di lavanderia a tutti voi, compagni di scuola, per i salotti rovinati, pisciati da una ragazzona di provincia col contegno di un cane. Contegno, vescica – ammesso che fosse un problema di vescica, e non disturbo psicosomatico legato allo sviluppo, sparito con la crescita. Torniamo perciò a dire, sottolineare, quanto sia turbolento e complicato il periodo dell'adolescenza, se fosse un teatrino di teste mozzate – ancora e ancora. Ridiciamolo. Così succede che dai vent'anni in su rido e tremo. Negli anni successivi rido e tremo senza farmela addosso, fino a oggi che, considerata l'età, chi mi vede pensa incontinenza, di sicuro. Il parto allenta i muscoli vaginali, peccato che il mio sia stato cesareo. Non hai giustificazioni. Usa pannoloni. Vergognati, pentiti, nasconditi, fuggi. Copriti, seppelliscti.

(Un lettore attento non potrà non tornare a quella notte, la notte dell'incidente di Livia, alla mattina in cui la madre nota la chiazza sulla moquette, si chiede cosa sia, s'inginocchia, odora.)

Fuori dal centro di produzione, col maglione in vita, e sopra il cappotto. Finalmente fuori, Federica propone di fare shopping. Che senso ha chiuderci in albergo? esulta tirandomi per un braccio, direzione H&M.

Inutile opporsi, dire che sono fradicia. In albergo scoprirò che non si tratta di pipì, o non solo. Pipì mista a sangue, colpa di Anita, lo stress causato da questa figlia (o forse sto morendo, ho un male di cui non avevo sospetti né sintomi, e che ha avuto il tempo di diffondersi, sto morendo e questi sono i miei ultimi giorni).

Per il momento siamo ancora qui, sulla strada, con Federica che insiste: voglio farti un regalo, cosa ti piacerebbe.

Cosa desideri, amica, creatura infreddolita, bagnata, fanciulla degli anni Ottanta.

Datemi un cigno. Un solo giorno da Livia, il giorno da farfalla – ricordate? Voi che avete sognato di essere Emanuela Orlandi. Tutte voi in questo negozio a tre piani, seguiteci.

Rappresentanti Avon, attrici, modelle, salite sulle auto, parlate con sconosciuti, accettate caramelle. Sciogliete capelli, volteggiate, piroettate. Tornate.

Tutte insieme, sulla scala mobile, tra i reparti, arraffate vestiti, correte correte, rubate.

Nei camerini chiudete gli occhi. Chiudete gli occhi, ragazze, in attesa che si apra la botola.

Se sotto i nostri piedi ci fosse una botola, potrebbe ricominciare tutto da capo. Ricominciamo.

21

Appunti per reportage mai pubblicato:

"Non le avevo studiate a scuola" dice Magda, diciannove
anni, menu B, raccontando del giorno in cui le sono venute
le mestruazioni. Aveva dieci anni, e ha urlato fortissimo certa di morire, poi è arrivata la mamma, e non è morta.
"Con sette fratelli, mamma e papà finiscono per pensarti
come sette uguali." E perciò mai avuto la mamma tutta per
sé, né una cameretta, men che meno un pupazzo, figuriamoci i vestiti (di seconda, terza mano dai fratelli maggiori).
Il momento più bello della vita? "A quindici anni, quando
mi sono sparite", parlando ancora delle mestruazioni. Che è
al contempo il momento in cui lei diventa unica tra i fratelli, la figlia che non mangia.
31 chili (1,58 di altezza), perde capelli, "certe volte guardavo
nel lavandino e mi sembrava di vedere un pulcino, un topo".

"Ho portato un vestito da sera che non metterò" dice Asia,
ventinove anni, menu B. "A essere sincera non ho avuto modo
di indossarlo neanche nella vita normale."
Ricoverata in più occasioni, Asia è qui da maggio. Il suo è
stato un girovagare per ospedali, reparti psichiatrici. Di quelle esperienze racconta: spogliata e perquisita all'arrivo, bor-

sa sequestrata da cui è stato tolto ciò che non andava bene, dolcificante, gomme, giornali di moda, cotton fioc, lima per unghie. E lacci, "le mie felpe sono senza lacci, a parte questa che ho comprato la scorsa settimana".

1,73, Asia, toccati i 39 chili, a Todi ha riacquistato peso, non ditele però la cifra precisa, quella la conoscono solo i dottori. Di loro si fida, a differenza di quelli dello psichiatrico di Brescia. "A Brescia non gli importa niente di te, di quello che senti. Fino a che non tornano le mestruazioni, non ti dimettono. Ti costringono a prendere venti, trenta chili in un mese." Per concludere: "Piangi, dici che ti viene da vomitare, e loro che fanno, ti ingozzano. Col sondino t'immettono nel corpo migliaia di calorie. Vogliono solo che diventi cicciona il prima possibile. Che gliene importa di quello che pensi tu, tu che pensi: chissà se da cicciona riuscirò a camminare, andare via".

LIBRO SECONDO

1

La menopausa anticipata è un fenomeno molto più frequente di quel che si pensa.

In rete trovi spiegazioni come "fase fertile della donna arrivata al capolinea". E anche "esaurimento spontaneo del patrimonio follicolare".

Va bene, anticipata è un'aggiunta mia, automatismo del tempo interiore retrodatato rispetto a quello esteriore. A quarantasette anni fatico a staccarmi dalla giovinezza, i miei ricordi sono laggiù, e anch'io. Ho sedici anni. Ho sedici anni, e pattino nel corridoio di casa di Federica, mano nella mano, occhi azzurri.

Ditemi come a quella bambina/adolescente possa terminare il ciclo, lei che ha ancora tutto da vivere. Un ponte temporale mi collega ai problemi ormonali di inizio sviluppo. Ho quattordici anni, le mestruazioni sono venute due volte, poi basta. Ginecologo, cura. Pillola. Potrei farlo ogni giorno! Voglio farlo, purtroppo mancano i maschi, nessun essere dell'altro sesso con cui sperimentare.

Ingrasso, dimagrisco, forse ho un problema di tiroide. Endocrinologo. Poverina, dice guardandomi nuda, è tutta storta (il momento massimo di differenza è intorno ai sedici anni. Un corpo a metà, metà ragazza, metà bambina. O metà di due ragazze differenti, una timida, l'altra spudorata). Poverina – il medico.

Un metro e cinquantanove per settantadue chili. Ottantasei, novantatré. Smetto di pesarmi. Lievito ignorando i numeri, cosa sono i numeri. Sedici anni, vergine.

Quindici anni dopo, la paura che possa succedere ad Anita, che mia figlia abiti lo stesso corpo respinto.

La guardavo crescere, la studiavo. Mettevo i soldi da parte per la maggiore età (volete sapere il vero motivo per il quale non ho rifatto le tette? Per rifare quelle di Anita. Per ricostruire mia figlia, progettavo, con l'intenzione di risparmiarle solitudine, mancanza di amore).

A parte il naso che regolarmente le proponevo di rifarsi, se metteva su un paio di chili, eccomi a fornire il rimedio: liposuzione. Me la sarei ridisegnata tutta, avrei creato una ragazza ideale. Non è stato necessario.

La chirurgia plastica torna urgente per me a quarantasette anni. Perdite di sangue, stanchezza, calura, freddo. Torna urgentissima per me in quanto ingrasserò, mi sformerò. Operatemi.

Ripercorriamo le fasi:

Milano, il momento in cui mi accorgo delle tracce di sangue nella pipì, e a Federica dico: nulla di grave.

Roma, pochi giorni dopo, il momento in cui scopro tanto sangue, emorragia, e chiamo Federica, la quale mi obbliga a un controllo medico.

Nel bagno di casa (le scene madre di questa storia accadono in bagno), di fronte a quella quantità di sangue ho avuto paura – sarà stata la suggestione di Federica, la sua fermezza. Non puoi trascurarti a quest'età, dice, da quanto non ti fai il pap test, e io rispondo: mai fatto.

Dunque quel giorno, bagno di Roma, penso: sto morendo. Addio amici, lettori, detrattori, bambina.

A mente fredda però, analizzando i sintomi – gonfiore, nausea –, aggrappata al senso di immortalità, deve averlo detto una cartomante a piazza Navona: morirai per ultima; ebbene la donna che non teme la morte, la testimone del suo tempo (tu sarai la testimone del tuo tempo, diceva la cartomante, o forse la me eroica immaginando un libro su ogni morto, benvenuta alla Joan Didion italiana, io), e quindi la scrittrice capisce, non sta morendo.

Che hai commesso? Cosa hai causato per distrazione, incuria. Tu, proprio tu, mano a battere il petto, tu che non hai dato peso alle perdite, che hai pensato stress, per dedicarti agli impegni di lavoro. Tu che, approssimativa, non hai segnato la frequenza del ciclo, tanto da accorgerti solo al cospetto del sangue, breve ricognizione, che non ti viene da almeno tre mesi, ciclo saltato da tre mesi, e stanchezza, e incontinenza, Milano. Se solo ti fossi fermata a riflettere, contare, non da ultimo consultare un medico.

Pensa pure alla morte, convinciti che stai morendo. È altro, ed è colpa tua.

Cosa avviene a farlo senza precauzione. Hai commesso un aborto. Ragiona, calcola, questo è un aborto spontaneo, causato da te che non sapevi di essere incinta.

Irresponsabile, pazza, tu.

Dopo i trentacinque, decine di ovuli fecondati non trovano appiglio e scivolano via, nelle mutande, negli scarichi. Talvolta sopravvivono nel water, pochi secondi (fantasia: mettiamone uno in una vaschetta, nutriamolo. Crescerebbe?).

Avete idea del numero di bambini che perde una donna nel corso della vita senza rendersene conto? Quanti figli ho perso io? Cerco nella tazza. Accucciata per terra, piango.

Non so neanche chi poteva essere il padre, chi chiamare per condividere il dolore.

Questo succedeva qualche settimana fa, quindi analisi. Diagnosi.

Lo dicono i risultati, e i medici a cui mi sono rivolta, tre, poiché nessuno sufficientemente affidabile. Lo hanno detto i medici, uno dopo l'altro, e oggi in un coro immaginario di detrattori, ex cognate, scrittori senza meriti. Tutti insieme a gridare: menopausa.

Per fortuna, commenta Federica, che al mio silenzio rincara con un: succede a tutte.

Io non sono tutte, dico. E vorrei aggiungere, dentro di me aggiungo: c'è stato un anno in cui il Paese sapeva chi ero – e la voce interiore si affievolisce. (Mitomania, lettore, ora lo sai. Finzione per rassicurare la persona minuscola che sono, la cosa deforme.)

Anche la voce interiore può spezzarsi, tremare, anche quella subisce l'effetto degli ormoni, di questa misera mutazione che sta accadendo. Non aborto. Non tumore, leucemia. Nessun coccodrillo, "dopo lunga battaglia muore a Roma una delle più importanti scrittrici italiane".

Il giorno della verità ingurgito Rivotril, dormire, sognarmi fertile. Tranne un breve risveglio verso sera, quando infilo nel forno la pizza surgelata, e ricasco addormentata. Più tardi trovo un grumo carbonizzato che potrebbe essere qualsiasi cosa, e non è la prima volta.

Spesso le pizze dimenticate nel forno prendono le sembianze di esseri viventi (non dirò feti, rifiuto di dire feti), o forse li vedo io negli ammassi informi. L'impulso di aprire lo sportello e stringerli al cuore. Loro, voi, ottantacinque centimetri. Istinto di tenerezza, a tratti bisogno che emerge, galleggia nella tua coscienza di donna in menopausa.

Finita la giovinezza, e non solo. Chi mi vorrà ancora, persino sul lavoro: accantonata, vecchia.

Lasciamo però agli amanti, almeno a loro, l'illusione di scopare una ragazza che potrebbe rimanere incinta, rischiamo di fare un bambino, un bambino tutto nostro, non serve che andiamo a convivere, lo cresco io, e tu, voi, lo venite a trovare.

È marzo quando arriva la diagnosi. M'incupisco, mi rianimo, tutto in un lasso di tempo contratto. Mi rincupisco – gli ormoni. Devo abituarmi a questo andirivieni di malinconia. Questo smottamento emotivo, piangere davanti a un film qualsiasi. Aprendo gli occhi al mattino avere l'impressione di sentire la voce di mio padre. E presto, guardandomi intorno, notando il disordine, l'accumulo, altresì la spazzatura che giace sul pavimento, pensare che aveva ragione Federica. Ha sempre avuto ragione lei su mia madre, a cui oggi mi sovrappongo.

La barbona all'angolo della strada, agli angoli di tutte le strade, quella a cui non lascio soldi, sono io.

Stabiliamo una cronologia. Tutto succede di seguito: il 6 marzo scopro di essere entrata in menopausa. Il 20 aprile Anita conclude l'esperienza televisiva.

"Caduta libera", condotto da Gerry Scotti, in onda su Canale 5 ogni giorno eccetto la domenica, ore 19, unico quiz al mondo dove i concorrenti, se perdono, restano. Puoi essere sconfitto dal campione in carica, e alla puntata seguente rientrare. Ritentare la sorte finché non diventi campione, al centro dello studio su una pedana illuminata.

20 aprile, il giorno in cui mia figlia passa sulla pedana illuminata.

28 maggio, la data davvero significativa di questa storia, il finale a cui nessuno di noi è preparato.

2

Per adesso siamo a marzo, e io voglio dedicarmi al lavoro, decido di ricercare materiale per il reportage. Nessun giornale lo prende? Sarà un libro.

Non rispondo al telefono, in particolare a Federica da cui vorrei prendere le distanze.

Mi è stato chiaro a Milano, chiarissimo sulla scala mobile di H&M. Cristallino sugli scalini dell'albergo sui quali inciampava. Perché a un certo punto, oltre la giovinezza, si inizia a inciampare senza tacchi. Barcollare, ondeggiare. E a quel punto tu, scrittrice, avevi voglia di rispecchiarti in quella donna?

Come in passato, ti sei detta di essere meglio. Meglio di questa cosa che dorme al mio fianco – nel frattempo si era fatta notte, lei russava. Dalla camicia del pigiama il collo segnato – il mio compatto, latteo –, la pelle stropicciata tra i bozzi del seno.

Lei però non si lascia accantonare. Telefona, lascia messaggi.

Nella sua testa mi ha salvata – e non solo nello studio televisivo: chi ha insistito affinché facessi le analisi? Chi è arrivata a minacciare: chiamo il tuo ex. E andando indietro, chi ha telefonato nei momenti di solitudine, accolto gli sfoghi, spinto per un riavvicinamento con Anita, sebbene fallito. E dunque lei, la salvatrice, si presenta a riscuotere.

Inizialmente con richieste modeste: posso dare il tuo numero a Livia, faresti un salto a casa, non riesco a parlarle da giorni.

In quanto lei, Federica, è lontana, trattenuta a Genova causa problemi con Leonardo, questioni delicate che avrà modo di spiegarmi di persona. Questi figli, sospira (generazione che comprende Leonardo, Michele, Anita, l'attrice giovane, le pazienti del reportage sull'anoressia).

Per obbligo, forse pietà, altruismo, mossa da sentimenti confusi, mi presto. Telefono, vado.

Costretta ad ascoltare canzoni d'amore, trattenuta: aspetta, trilla Livia, senti questa, l'ultima.

Non in salotto, in terrazzo. Chiuse in camera. Vuoi vedere i vestiti? chiede. Scarpe, pupazzi, diari del liceo, foto (la foto dove siamo io, Federica, Livia, Simona. Alle nostre spalle Massimo, e un ragazzo biondo di cui non ricordiamo il nome. Abbiamo sedici anni, Livia diciassette. L'ultima foto di Livia prima dell'incidente).

Parla dei suoi programmi preferiti. Se quest'anno non vince Javier mi uccido – e si riferisce ad "Amici". Dice del pappagallino, il suo sogno è un pappagallino verde, ma il padre non vuole, e lei intanto si è fatta regalare quella – indicando la gabbia che pende dalla parte bassa del soffitto. Indicandola, come se io non la vedessi.

Giorni, settimane. Io in visita alla sorella dell'amica ritrovata. Alla sventurata, alla poveretta – rappresenta altro?

Varrebbe la pena soffermarsi su ciò che questa donna, Livia, significa per la mia persona. Varrebbe la pena per giustificare quel che arriverà, deve esserci una spiegazione al fatto che trascorra del tempo con lei, perché prima di giungere alla richiesta importante di Federica, prima che io faccia qualcosa di davvero rilevante per Livia, ci saranno pomeriggi insieme.

Fine marzo, richiesta importante: posso accompagnare Livia a un controllo, si tratta di un favore grande, Federica ne è consapevole. In condizioni normali chiederebbe alla cugina ma non si fida, un'altra con la testa per aria.

Facile tirarsi indietro, il reportage che potrebbe essere il nuovo libro che l'editore aspetta, pressandomi, arrivando a minacciarmi (menzogna). Mille scuse a cui lei, l'unica che si ostini a vedermi come una persona di successo, crederebbe.

Invece eccomi tra i glicini, sotto la palazzina rosa – che fine ha fatto il vecchio del piano terra, pensiero fuggevole.

Prevedendo che Livia si trattenga per la notte, ci hanno assegnato una camera. Il professore preferisce tenerla sotto controllo. Si tratta pur sempre di una paziente speciale, dice. Termine che per Livia significa bella, liceale bionda. Per me pericolosa, fragile. Vergine, vorrei aggiungere – si può tornare vergini? La verginità non è forse una condizione mentale? Oggi possiamo dirlo, oggi che l'abbiamo perduta da un quarto di secolo e oltre, che non è più sogno, desiderio, ingombro, peso. Oggi che non rappresenta nulla. Nulla era, amiche.

E dunque, nella camera della clinica, aiuto la vergine a svestirsi, vietandole di levare mutande e reggiseno – ancora la smania di mettersi nuda. Sempre la smania, penso, prima che sopraggiunga l'infermiera a ordinare di togliere mutande e reggiseno. La smania è la tua, scrittrice, nella tua testa, nel finto pudore, sei diventata borghese, al punto che, mentre Livia si spoglia, ti volti verso la finestra.

Ho il culone? chiede lei col camice aperto dietro.

Prendiamo quel culo, analizziamo quel culo, lettori. Alto, sodo. Senza traccia di cellulite. In base ai ricordi precisi – io quella ragazza l'ho vivisezionata – è uguale ad allora, trent'anni non sono passati. E noi intorno vecchie, cadenti, debordanti, flaccide, quanto siamo flaccide, addirittura sulle braccia, alza le braccia – quella sera in albergo, Federica –, ti si ammosciano anche a te – e giù a ridere.

A questa vecchia, del resto, a questo adulto che sono io

parla il medico, assicurandosi che Livia sia digiuna, per poi illustrare la procedura, durata, necessità che la paziente rimanga ferma, ragion per cui le verrà somministrato un leggero sedativo, dormirà. È con me che parla il medico mentre il minore, questo minore leggiadro, si aggira per la stanza col sedere scoperto, questo minore innocente che davanti alla finestra dice: corri! – indicando fuori: un piccione.

Sul lettino d'acciaio, allacciata per polsi e caviglie, Livia è introdotta nel tunnel della risonanza magnetica. Non dà segni di nervosismo, così io, nella stanza attigua, azzardo: non si potrebbe slegare?

Se poi si agita, ribatte il tecnico.

Ma non succede, né succederà. Immobile nell'astronave, tutti i macchinari che emanano luce, chiamiamoli astronavi, così del resto li abbiamo sempre chiamati.

Tu astronauta. Rimpiccolita a vederti da qui, ottantacinque centimetri. Resisti al sedativo, occhi spalancati, cosa vedi.

Cosa vedo io poco importa, non occupiamocene. Non occupiamoci delle gambe che spuntano. Un essere a metà – quanti esseri a metà in questa storia. Se si potesse costruire una ragazza a pezzi, e a parlare è la scrittrice che a tentoni cerca un appiglio, qualcosa che dica: sei brava, applausi. Riflette su una ragazza ideale, la sintesi di tutte loro.

Gambe di Livia, testa sua. Gambe di Livia, tette di Livia, culo di Livia, cervello della scrittrice. Come avrebbe vissuto, quanto avrebbe realizzato un esemplare con quel fisico e questo cervello – non quello sul monitor. Con quelle fattezze, tu, saresti forse stata una scrittrice migliore?

Non so se vi è mai capitato di vedere un cervello danneggiato (da qui in poi la curiosità di vedere il mio, forma, discromie. I traumi lasciano traccia? Curiosità: c'è forse traccia di qualcuno che mi ha violentata?). Immagine cervello Livia: addensamento nero lato sinistro. Come chiamarlo –

buco, falla. Maledico Federica che ha scaricato su di me il peso, si è presa una vacanza dalla sorella.

Rumore di scatti simili a selfie, quello che ci faremo appena fuori, sulle scale, pretende Livia, che colleziona selfie delle uscite, supermercato, parrucchiere, scalinata dell'ospedale, come fossero viaggi.

Prima però delle scale, prima del cielo aperto, del vento che solleva il vestito: l'immagine di lei espulsa dalla capsula si sovrappone a quella del passato, lei che emerge da un'altra capsula. Anziché dalla luce azzurrina, oggi esce da un bagliore freddo – obitorio. Anziché alzarsi, avvolgersi nell'asciugamano, sparire, facendo credere che quella sia l'ultima scena del film, lei oggi emerge, barcolla. L'ultima scena deve ancora venire, spettatori. Livia esce dalla luce fredda, inizio secondo tempo.

La nostra protagonista bionda piroetta nella stanza. Sto benissimo, dice al dottore, girando su se stessa per darne prova, quasi perdendo l'equilibrio, non perdendolo. La prego, ripete petulante. Vuole tornare a casa, promette di mettersi a letto.

Il dottore raccomanda a me riposo per il resto della giornata, deve smaltire i sedativi, sarebbe pericoloso andare in giro.

L'adulta garantisce che accompagnerà Livia a casa, e oltre, camera, letto, accertandosi personalmente che si addormenti, professore.

(Perché scrittrice spendi tante energie per una donna che non ti è niente, né parente, né amica? Riesci a motivare questa dedizione?)

E dunque riporterò Livia nella palazzina rosa, quartiere Parioli. Come promesso, la metterò a letto, spegnerò la luce.

Dormi, dirò nella penombra, carezzandole i capelli.

I capelli che ho carezzato poco a mia figlia (togliere i pidocchi a uno a uno vale da carezza?).

Nella penombra della stanza, la gabbietta vuota a pendere dal soffitto – dormi.

Appena il respiro diventa regolare, attraverso la stanza in punta di piedi, posso essere leggera e non lo sapevo, quando la voce, sgraziata, gracchiante, risuona. Massimo, dice.

E se in un primo momento credo che parli nel sonno, che si tratti di un nome riemerso dalla coscienza, dopo no.

Voglio rivederlo, dice. Insiste: lui è sempre qui – mano al seno destro –, nel cuore. (Squarcio sulla mente di Livia: nonostante la riabilitazione, la logopedia, gli insegnamenti di genitori e sorella, non ha imparato a distinguere destra e sinistra. Per lei il mondo è un intero, un intero meraviglioso da non dividere, perché dividere.)

3

A proposito di mondo diviso, di destra e sinistra. Chi sono io. La donna buona che si dedica alla disabile o la donna cattiva che infanga i morti di famiglia (fosse davvero coraggiosa calunnierebbe i vivi). La femmina castano bionda desiderata, o la vecchia in menopausa. La scrittrice famosa o la fallita.

Soprassediamo sulla questione della fama su cui torneremo in seguito, fermiamoci sul tema bontà d'animo.

Prendiamo il padre di Federica, novantenne, difficoltà di deambulazione per via di problemi alla schiena, così che deve sedersi, e convocarmi in salone per parlare. E dalla poltrona, stringendomi una mano tra le sue, dice: grazie, ripete: grazie – occhi lucidi.

Prendiamo Federica che chiama per ringraziarmi di ciò che sto facendo per Livia, anche lei. Se non ci fossi io, è importante sapere di poter contare su di me, non immagino quanto. Appena scende vuole spiegarmi il perché della sua assenza, preferisce di persona, al telefono è complicato. La prossima settimana, assicura, per poi rimandare, e rimandare ancora. Chi è la cattiva tra le due. Ditemi, lettori, in tutta onestà.

Primavera, mandorli in fiore, in questo risveglio, la parola risveglio non è casuale – risveglio da lungo sonno, coma –, sono io la buona.

A un certo punto – rifletto, rientrando a casa, prima di dormire –, a una certa età, se davvero la vita ha insegnato qualcosa, l'attenzione si sposta da noi agli altri.

Il paraplegico sullo skateboard a cui non lasciavi un centesimo, dubitando – contro tuo marito, il tuo ex che gli dava qualcosa ogni giorno –, ebbene arrivando a dubitare: quello sta meglio di noi.

E ancora, "Vuoi fare una donazione a Telethon?", la scritta sullo schermo del bancomat, a ogni prelievo, e tu spingi no, da sempre no fino a oggi, quarantasette anni, che spingi sì. Ed è il tuo primo sì.

Mi avete giudicata male. Ignorato la parte bella di me, quella gentile – manifesta o latente: eccomi a venticinque anni scorgere dalla finestra un cantante di strada assieme a due bambine. Eccomi a prendere i peluche, koala incluso (per chi si fosse chiesto che fine avesse fatto, a cominciare da me, che per un lungo periodo non lo trovavo, quanto l'ho cercato, e non per utilizzarlo, ma come ricordo, per anni ho cercato disperatamente il koala, d'un tratto riapparso, emerso da un controsoffitto, precisamente da un saccone dove mia madre aveva riposto le cose vecchie). E dunque raduno peluche e zainetto, scendo per strada, mi precipito, a donare l'intera infanzia/adolescenza alle bambine mulatte.*

La ragazza buona è esistita, seppure in un tempo lontano, a sprazzi. La ragazza buona è tornata.

O forse sta solo allontanando la morte. Sta rispondendo a quel padre sprofondato in poltrona, l'unico padre sopravvissuto, lui che rievocando il passato, l'adolescenza di noi figlie, confessa che si chiamavano con mia madre, le telefonate che si facevano a vicenda, con il timore che ci drogassimo, gli era venuto quel dubbio, tanto eravamo strane. Condividevano timori, si scambiavano informazioni.

La ragazza buona è tornata per accontentare l'amica, e rassicurare il padre dell'amica che, stringendole forte la mano, chiede: a proposito, come sta la mamma?

* Di recente, leggendo un'intervista a Elodie in cui parla del padre cantante di strada che si esibiva in centro, zona Pantheon, e racconta di lei e della sorella, quattro/cinque anni, che lo accompagnavano: fosse stata lei la bambina dei pupazzi? Immagino una trasmissione di talento attraverso il koala. Un passaggio di testimone da me a questa cantante apprezzata nel mondo.

4

Per comprendere meglio il significato della richiesta di Livia, rivedere Massimo, è necessario andare indietro nel tempo, seguitemi, oltre a questa nostra mezza età, oltre ai matrimoni, alla nascita dei figli. Ancora più indietro, trent'anni, risveglio dal coma.

Da che il telefono squillava ogni secondo, smette. Spariti amici, spasimanti. Ricordo gli sfoghi di Federica, era soprattutto con Massimo che ce l'aveva. Dov'è? chiedeva indignata. Non era innamorato? Nessuno ti amerà come me, scriveva nelle lettere che proprio noi, frugando nella stanza di Livia, avevamo trovato. Dichiarazioni, suppliche, cos'altro erano quei passaggi nero su bianco in cui implorava di provarci, sicuro che insieme sarebbero stati una coppia meravigliosa.

Falso, ipocrita, lo apostrofava Federica, te ne approfitti, la metti incinta (anche lei, insieme alla madre, stava rielaborando una versione della sorella vittima, affinché nel letto di ospedale giacesse una santa, non una stronza. Complicato piangere una stronza, e qui si doveva piangere). Mi fa schifo, diceva.

In particolare a seguito della sua unica apparizione, avvenuta in mia presenza, motivo per il quale oggi posso riportare parole, espressioni.

A dieci giorni dal risveglio, Massimo arriva in ospedale, mettendo in agitazione Livia che si tira su, sistema il pigiama.

Stai giù, dice Federica.

Le sono ricresciuti i capelli, almeno non è rapata a zero. Ricordiamo che sono castani, dunque l'impatto di chi la rivede per la prima volta è forte. Difatti Massimo tiene lo sguardo basso.

Ho i capelli corti, dice lei.

Stai bene, farfuglia lui.

Silenzio. Che silenzio se non venisse in soccorso Federica: notizie sulla maturità, temi?

Gira Pascoli.

Al che Livia li interrompe, e prende a parlare di cibo. Si mangia benissimo qui. Sai qual è la sua cosa preferita? La sua cosa preferita è il formaggino, va pazza per il formaggino.

Massimo fatica a riconoscere in quella persona la donna di cui era innamorato. Eppure non è tanto diversa, a livello fisico è andata meglio del previsto. Nessun segno evidente, deturpazione – a parte la cicatrice sulla testa, ormai coperta dai capelli. Viso intatto – naso, bocca, ovale, quell'ovale leggermente a triangolo a darle l'aria da adolescente per sempre. Se rimanesse in silenzio, potrebbe sembrare quella di prima? Me lo chiederò ogni volta. Nei vestiti da sera, adagiata sul divano, nel lettino solare – riprenderà anche quello. Potrebbe apparire la Livia che tutte noi volevamo essere?

Soffermiamoci sugli occhi vacui, i movimenti scoordinati. Rimaniamo in ascolto della voce sgraziata – mai capito il perché di un simile mutamento –, una cantilena gracchiante dalle parole infantili, a tratti insensate.

Neppure per un istante, neppure a guardarla in foto, se qualcuno la fotografasse, potrebbe sembrare quella di prima. Il cervello, da cui dipende lo sguardo, ha spento la luce.

E davanti al buio, venti minuti dopo il suo arrivo, incapace di resistere oltre, Massimo si alza. Purtroppo deve andare, dice, la madre lo aspetta per cena. Torno presto, promette, non riuscendo ad alzare gli occhi da terra. Indugiando su come salutarla, loro che fino a poco tempo fa si baciavano, lui che faticava a staccarsi, sarebbe rimasto a baciarla per ore, mendicava i suoi baci, la tratteneva per un ultimo bacio, noi testimoni. Ebbene, adesso, in ospedale, lui indugia, indugia. Tende la mano.

Succede che loro – che solo poche settimane prima scopavano senza preservativo –, succede che si danno la mano. Per l'esattezza lui dà la mano a lei che a quella mano si aggrappa. In questo modo, come due estranei, Livia e Massimo si salutano.

Niente di drammatico se Livia fosse quella di prima. Se lasciandosi andare sul letto dicesse: tolto dalle palle – la Livia di prima potrebbe dirlo. E sospirare di sollievo per essersi liberata di quel cretino. Invece la creatura di oggi sbattendo le palpebre chiede: come si chiama? Occhi fissi alla porta da dove lui è appena uscito, occhi fissi al vuoto. È bellissimo, dice.

Nel post coma accade che Livia si risvegli innamorata di colui che settimane prima ha lasciato. Disprezzato, umiliato: non c'è chimica, diceva, accompagnando le parole a una smorfia di schifo. Ce l'ha piccolo.

5

"Caro X, non so se ti ricordi di me" scrivo. Giuro che lo sto facendo, la scrittrice affermata, che mai si abbasserebbe a cercare qualcuno, sta scrivendo a un ex ragazzo del canestro.

Caro X, scrivo, e poco importa il nome, scrivo al plotone, a tutti loro dagli occhi chiari, quelli che ho amato, quelli che neanche sapevano della mia esistenza, chi ero io, la cicciona amica di Federica, meno, figura sfocata al fianco della sorella di Livia. In un istante rovescio anni di fantasie, e che fantasie – trionfo, mille luci: io che rispondo ai questuanti, agli adolescenti invecchiati, liceo Goffredo Mameli, Parioli, Roma; Lavinia chi? Volete che partecipi al crowdfunding per riaprire il Circolo della Caccia e contestualmente, se fosse possibile, un articolo, potrei scrivere un articolo su questo scandalo?

Anni di fantasie con me che liquido, congedo. Con me che rimpicciolisco su una strada – facciamo che sono venuti a una presentazione e all'uscita chiedono un autografo –, con me che rimpicciolisco all'orizzonte, più lontana, irraggiungibile.

Arriva oggi, capovolgimento: caro X – scrivo all'ex compagno di classe di Massimo, colui che nei ricordi era uno dei suoi migliori amici. Perché digitando Massimo *** sui social non compare niente, devo ingegnarmi. Caro X, il quale X non risponde. Allora passo a Y, Z. Chi doveva umiliare chi? – pensiero fugace. L'unica a rispondere è una vecchia amica di Livia.

Certo che si ricorda di me, mi ha anche vista in televisione (finalmente qualcuno che presta attenzione alla cultura). Dopo uno scambio di mail generico, chiedo notizie di Massimo, scoprendo che per un periodo ha avuto un'agenzia di immobili di lusso. Quindi, per quel che ne sa lei, avendo perso i contatti, si è trasferito in campagna, dove ha aperto un negozio di antiquariato.

Ha tagliato i ponti con tutti, una specie di eremita, se uno pensa a com'era da ragazzo.

Risposta mia: ☹

Quando riferisco a Livia di averlo trovato, siamo in camera sua. Spiccando saltini, ripete: oddio. E poi: ha sempre gli occhi azzurri?

Spiego di non averlo incontrato, so solo dove vive, ho visto il paese su Google Maps (sempre Google Maps). Allora anche lei vuole vederlo.

E tutto ciò è straziante, alla luce del passato e non solo. Alla luce del passato, e del presente, questa luce che entra dalla finestra e illumina lei, una donna di cinquant'anni acciambellata sul pavimento a rimirare sull'iPad un agglomerato di case, una piazza – dito sullo schermo, quasi potesse toccare i luoghi, quasi bastasse un dito a trasportarla laggiù –, allargando l'immagine, allarga l'immagine. Alla luce del passato e del presente, la luce dalla finestra che trafigge lei, cinquant'anni, mani giunte, è così che sta pregando di rivedere l'uomo che ama, portami da lui. E buttandosi sul letto: ce l'aveva grandissimo, dice.

Malgrado i genitori sostenessero che il problema principale di Livia post incidente fosse la memoria, per il resto era normale, fu subito evidente il contrario. Lo fu nelle azioni, nel linguaggio. E non parlo della bizzarria di staccare limoni dall'albero, annunciando: voglio cucinarli; o, sempre in merito al cucinare, provare a cuocere una spugnetta scambiata per cibo. Sembrava un dolce, si sarebbe giustificata.

Ben altre frasi creavano imbarazzo, e gettavano padre, madre, sorella in uno stato che non era sconforto, Federica aveva provato a spiegarmelo. Una specie di segno premonitore, diceva, sensazione che stia per succedere qualcosa di brutto.

Capitava quando Livia si rivolgeva al padre: ehi, Camillo, quanto ce l'hai grosso?

(A quel punto lei chiamava i genitori per nome, non chiedetemi perché. Che fossero diventati tutti *gli altri*? Che la sola distinzione possibile fosse tra sé e gli altri? E quanto era difficile tracciare i confini del sé.)

Di notte ti si alza, Camillo? chiedeva ridendo di fronte a estranei, tra cui me.

Il padre aveva imparato a cambiare discorso, sorrideva in apparenza divertito, come se si trattasse di eccentricità, la sua bambina eccentrica. Tra tutti sembrava lui quello meno scosso dai comportamenti di Livia. Nel post incidente si erano invertiti i ruoli, se prima era stata la moglie la forte, quella al comando, dopo lo era diventato lui. La madre si era annientata nell'ossessione di riuscire a scoprire la verità su quella notte (ricordiamo la registrazione. Citiamo una delle voci raccolte: "Livia era l'unica della classe a porre domande. Quando seppe del mio pellegrinaggio a Lourdes mi chiese di portarle dell'acqua benedetta. Non dimentico la sua faccia nel momento in cui le consegnai la bottiglietta" – l'insegnante di religione).

Perciò il padre sicuro, il padre centrato, sorrideva, sminuiva, al massimo si lasciava andare a un commento bonario quale: non fare la scema. Liviotta – aveva preso a chiamarla nei momenti d'imbarazzo –, finisci di mangiare, Liviotta.

Tranne poi un Natale durante il quale Livia, scartando il regalo – una spilla di pietre a forma di libellula –, chiedeva: cos'è, un cazzo? Tranne in quell'occasione, lui appariva sempre tranquillo. Quel Natale Federica lo sorprende al buio, in un angolo del terrazzo. Si avvicina e mettendogli una mano sulla spalla domanda: tutto bene? E lui, senza voltarsi, asciugandosi furtivamente gli occhi – non così furtivamente –, risponde: tutto bene.

Nonostante i medici sostenessero che non ci fosse relazione diretta coi danni celebrali, Livia manifestava un certo disordine sessuale. Se prima dell'incidente lei stessa era desiderio di chiunque, dopo chiunque era suo desiderio. Si offriva: scopiamo.

Nei bagni di scuola, alle feste. Per favore, implorava.

Cito le parole esatte in quanto sentite con le mie orecchie. Così come le risposte: ok, ma solo pompini.

6

Prima di trasferirsi in campagna, prima di isolarsi, molto prima, Massimo è il rampollo spensierato che sappiamo. Poi arriva quella notte. Poi – per vicende che vedremo in seguito – viene mandato in America, a New York a proseguire gli studi, o almeno quello è il progetto.

Di quegli anni – per l'esattezza sei – non parla con piacere. Si iscrive all'università, per interrompere al primo semestre. Frequenta una scuola di cucina, anche quella presto abbandonata. Non ha mai desiderato fare il cuoco, confessa, forse il barman. Vive di incertezza, in generale il futuro lo interessa poco. America, Italia, qualsiasi luogo.

Anni in cui non sente niente, che sia dolore o piacere, incluso quello sessuale. Pratica lunghi periodi di astinenza. Gli piace camminare. Arriva ad Harlem, a Brooklyn. Si perde, non ha senso dell'orientamento. Ritrova la direzione di casa, seppure dopo diverse ore. Mangia cibo americano. Hot dog per strada. Frequenta i fast food aperti di notte.

Al telefono la madre gli raccomanda di non bere. Il timore della famiglia è che diventi alcolizzato, peggio ancora: drogato. In verità beve Coca-Cola, se qualcuno potesse vederlo: un ragazzo solo, via via più grasso, in giro per la città, al parco. Se qualcuno entrasse nella sua stanza, troverebbe decine di lattine vuote. Perché avviene questo, o forse è l'attitudine di un maschio giovane andato a vivere da solo, avviene che si lasci andare, trascuri igiene personale, cura di sé. Da quanto non si taglia i capelli. E la barba? Se la madre lo vedesse con le magliette stropicciate, anziché fidarsi: hai portato i panni in lavanderia?

Sì, risponde lui al telefono, dall'altro capo del mondo.

Di questi anni confusi c'è poco da dire, o comunque nulla di memorabile. Se ha mai pensato a Livia? No.

Cosa non del tutto falsa, e neppure del tutto vera.

Livia riemerge. Di notte, di giorno.

La Livia che torna però è la diciassettenne bionda, quella che non esiste più, tanto che Massimo arriva a separare le due, come fossero persone distinte.

Tornato in Italia trova i genitori divorziati, il padre con una nuova fidanzata. La madre, dal canto suo, come gesto di rinascita, compra una casa in campagna. Il mio rifugio, lo definisce. Progetta di piantare fiori, coltivare l'orto.

Quanto è orgoglioso il figlio di quello spirito combattivo, di quella donna capace di rialzarsi a cui lui stesso si è affidato lasciandosi guidare, addirittura trascinare – chi lo ha spedito in America? Che fine avrebbe fatto in Italia? Ricorda la mattina che si spalancava la porta – forse primo pomeriggio, aveva preso l'abitudine di fare tardi la sera davanti a un videogioco, e di giorno dormire –, si spalancava la porta e irrompeva la madre, apriva le finestre, diceva: alzati. Diceva: così non andiamo avanti. Ti stai caricando di colpe non tue. E con fermezza spiegava la necessità di allontanarsi da Roma, fare tabula rasa. Nuovi amici, fidanzate.

Questa era la natura profonda del rapporto madre-figlio, una coscienza condivisa, abituata alla lontananza, eppure unita. Coscienza e corpo: quando è debole lui, subentra lei, e viceversa.

Perciò, tornato in Italia, Massimo segue i lavori di ristrutturazione del piccolo podere, con particolare attenzione all'esterno. La madre vuole piantare alberi da frutto, dice, magari ulivi – sai quanto vive in media un ulivo?

Eccolo allora assistere l'operaio che spiana il terreno con la ruspa.

Eccolo, appesantito dall'alimentazione americana che gli ha fatto prendere trenta chili – ammesso che la causa sia unicamente il cibo. Taciturno, senza il piglio e la foga dell'adolescenza. Eccolo un giorno di primavera a notare tra la terra smossa qualcosa di bianco.

Basta uno sguardo profano come il suo per capire che non sono ossa di animale.

Ha ventinove anni Massimo quando trova i resti umani che, chissà per quale suggestione, si convince appartengano a una ragazza. S'inginocchia per vedere meglio. E dopo anni di niente, una specie di brivido, senso di grandezza, curiosità, fervore. Volontà di tenerlo nascosto alla madre per non sconvolgerla, primo ribaltamento del rapporto che ha visto fin qui la protezione di lei su di lui*.

Dov'ero io quando Massimo trovava le ossa. All'università, alle prese con gli ultimi esami, forse prossima alla laurea, l'anno in cui sono stata leggera. Il massimo di magrezza, considerata l'ossatura, spiegava il dietologo a cui chiedevo il motivo per il quale non dimagrivo oltre. L'anno in cui decido di diventare piatta. Quanto pesano le tette? Nel delirio del dimagrimento – due, tre chili, *zac*: tre chili in un colpo. Nel mondo c'è gente che si fa togliere una costola per apparire più magra. Toglietemi costole, tette, operatemi. Quell'anno passo tra le sbarre del cancello di una casa al mare, la cui proprietaria che mi ospita ha dimenticato le chiavi dentro.

Passo nello spazio tra una sbarra e l'altra, e sono dall'altro lato. Voi al di là, ed è la prima volta nella vita in cui sono al di qua, prima delle circostanze in cui salirò sui palchi, leggerò ai microfoni, guarderò in camera e dirò: no, nessuna paura di perdere la fama. E sarà una menzogna.

Dopo il cancello ingrasso di nuovo. Torna il desiderio di pareggiare il seno, non di eliminarlo, e no, di certo non mi farei togliere una costola.

A proposito di ossa, facendo un balzo in avanti: a un certo punto la famiglia Orlandi smette di cercare Emanuela viva. Avendo proseguito a proprie spese indagini private, in base alle quali veniva indicato – su segnalazioni ritenute attendibili – che le ossa di Emanuela potevano trovarsi presso il Camposanto Teutonico, la famiglia richiede l'apertura di due tombe precise, siamo nel 2019, 11 luglio. Secondo le suddette segnalazioni si sospetta che i resti di Emanuela possano essere nascosti lì.

Riapertura delle tombe, l'inimmaginabile.

"L'accurata ispezione sulla tomba della principessa Sophie von Hohenlohe ha riportato alla luce un ampio vano sotterraneo di circa 4 metri per 3,70, vuoto. Successivamente si sono svolte le operazioni di apertura della seconda tomba-sarcofago, quella della principessa Carlotta Federica di Meclemburgo. Al suo interno non sono stati rinvenuti resti umani. I familiari delle due principesse sono stati informati dell'esito delle ricerche" dichiara il direttore della stampa vaticana.

Da quel momento le famiglie in cerca di ossa diventano tre. Ossa di principesse, di studentesse. Ossa perdute, trafugate. A chi appartenevano quelle trovate da Massimo. Poco conta, almeno in questa storia, in questa nostra piccola storia vera che non è quella di un Paese, non coinvolge un popolo, una generazione, riguarda invece pochissime persone, principalmente femmine. Facciamo che quel giorno di tanti anni fa l'ex giovane aitante, l'ex ragazzo del canestro ritrova le ossa di tutte. Non siamo altro che mucchi di ossa, ragazze.

---

* Tutto questo mi sarà raccontato da Massimo. Quando, dove? Abbiate pazienza. Dico solo che, mentre lui parla, io tiro su il lenzuolo, chiudo gli occhi.

7

Thelma e Louise, Bonnie e Clyde, musica alla radio. Giovinezza, non è forse questa la situazione più simile alla giovinezza da vent'anni a questa parte? Non era forse questo
che sognavamo da ragazze, prendere partire, destinazione
sconosciuta, benché stavolta la destinazione sia conosciuta,
ma non fidatevi. Non sappiamo bene cosa ci aspetta.
   La testa bionda al mio fianco s'adombra e risplende col
sole ora diretto, ora obliquo dal finestrino.
   Non sporgerti, ribadisco.
   L'abito attillato, e il profumo, quanto profumo a inondare
l'abitacolo, mi fanno dubitare. Quale persona si preparereb-
be con tanta cura solo per spiare l'amato? Ulteriore squarcio
sul cervello di Livia, procediamo per squarci: l'immaginazione vale da esperienza. E nell'immaginazione loro si vedono, si toccano. Allora, lettori, molliamo gli ormeggi della
realtà, andiamo dietro a Livia, entriamo nel suo mondo felice. Seguiamola nel parcheggio dell'autogrill dove facciamo
sosta, e all'interno, tra gli scaffali di caramelle, fermiamoci
con lei di fronte al cesto di pupazzi, prendiamone uno, strin-
giamocelo al petto, riposiamolo (gli innamorati e i pupazzi).
   A vederla di spalle è una figura che svolazza tra i tavo-
li, nei bagni, di nuovo nel parcheggio, i capelli scompiglia-
ti dal vento. Cosa significa svolazzare a cinquant'anni: far-

si attraversare dal vento, socchiudere gli occhi. E io con lei, io che abbandono Anita, frustrazioni, aspettative, nella stazione di servizio sulla A1, altezza Orte. Chi siamo, dove andiamo. Abbiamo vent'anni, sedici, la ragazza senza cappotto, la ragazza fuori stagione corre verso il tratto di erbaccia. Si china, e io, intabarrata nel cappotto blu, sempre il cappotto blu, dico: non raccogliere. Inascoltata, rimango a pochi metri da lei che si rialza con in mano un fiore. Guarda, dice. Quasi fosse qualcosa di speciale, quando ci sono decine di fiori uguali, basterebbe allargare lo sguardo.

Non allarghiamolo. Fidiamoci di Livia, entriamo nella sua stagione, stupiamoci del fiore come se fosse un miracolo.

Non chiedetemi perché faccia tutto ciò, oppure chiedetemelo e sappiate che un motivo c'è. Qualcosa di profondo, acquattato nella notte.

Al momento però il sole ci trafigge, entrando nel paese visto su Google Maps – che sia questo il nostro film?

Paese di campagna che per privacy non nomino (ricordate: è una storia vera). Centonovanta chilometri da Roma, seicento metri di altezza.

Essendoci una sola piazza, è facile trovare il negozio, davanti al quale ci appostiamo. Ore 13. Sarà una lunga attesa a cui mi sono preparata portando da casa cibo e bevande (ciò che a ogni viaggio dimenticavo, cosicché in autostrada Anita piccola iniziava a lamentarsi – ho fame ho sete – e il padre era costretto a fermarsi all'autogrill, e io aspettavo in macchina, io madre distratta, assente. Assente di testa, depressa).

Livia rifiuta di mangiare, rivelandomi che è a digiuno da ieri sera. Deve riempire lo stomaco, altrimenti rischia di sentirsi male al ritorno, vuole forse sporcarmi i sedili? dico.

Chiedetemi perché lo stia facendo. Il fine per cui ho guidato chilometri, io che evito di guidare, odio guidare, per quale motivo sto buttando una giornata dietro a una pazza, clinicamente pazza, assecondando desideri insensati, piuttosto che riportarla alla ragione, far prevalere il raziocinio, dirle: non si può – per evitare sconvolgimenti emotivi, conseguenze, cosa potrebbe fare? A se stessa, e a Massimo? Immaginiamo una persecuzione, lei che comincia a tormentarlo.

Per quale motivo non ho impedito tutto questo, come avrebbe fatto ogni adulto prossimo a lei. I miei pensieri, mentre lei si ostina a non mangiare, stomaco chiuso. Invece – gracchia – pensava di riprendere a fumare, e io non chiedo quando abbia iniziato e smesso, nella mia memoria non esistono immagini di lei che fuma. Fumare dà un'aria misteriosa, anzi, possiamo comprarle? C'è un coso proprio lì – scambiando un defibrillatore per un distributore automatico.

Torno a chiederle se ricorda i patti.

Nonostante si affretti a giurare che rimarrà nascosta, temo che disobbedirà. Andrà incontro a Massimo, il quale, riconoscendola, non al primo sguardo, sono invecchiati, appena la riconoscerà reagirà male, allontanerà bruscamente colei che gli ha rovinato la vita. Perché la vittima dell'incidente non è stata solo Livia. Quante vittime nel quartiere Parioli – Roma, noi.

Di fatto – ipotesi personale di cui mi assumo piena responsabilità – il ritrarsi dal mondo di Massimo, la solitudine – mai sposato, dalle informazioni raccolte – non sono forse la conseguenza di un trauma? Qualcosa da cui lui non si è ripreso, covando odio per il resto della vita, ebbene sì, potrebbe odiare Livia. Certo che la odia, penso solo adesso, troppo tardi. Cosa succederebbe se lei non mantenesse i patti?

Alla radio canzoni d'amore. Nostalgia improvvisa del penultimo amante, devo richiamarlo. Tutto pur di allontanarmi da questo luogo, che arrivi sera. Di fianco a me Livia, bionda biondissima, Marilyn.

Marilyn Monroe muore a Los Angeles il 5 agosto 1962. Suicidio. Ma prima di morire, molto prima subisce quattordici aborti (spontanei e non). Piange, litiga. Ha frequenti sinusiti. Fa l'amore, rimane incinta, perde bambini.

Andiamocene, dico nella macchina, quando un uomo corpulento attraversa la piazza.

È lui, s'illumina Livia.

Non può essere.

Al cento per cento.

Il tizio raggiunge il negozio. Apre la porta.

Sarà uno che lavora per lui, dico.

Pochi istanti dopo l'uomo ricompare sulla porta dandoci la possibilità di vederlo nella sua interezza.

Viso gonfio dal contorno crollato verso il mento, a costituire un tutt'uno mascherato dalla barba che crea una linea dove non c'è. Viso gonfio, pancia prominente.

È rimasto uguale, dice Livia di quell'individuo sformato, invecchiato, così lontano dal ragazzo che è stato, ma lei no, lei vede il ragazzo, ed è l'unica a vederlo.

Lui si siede sulla panca, tira fuori il telefono.

Mentre noi, sempre nascoste, restiamo a fissarlo, restiamo a guardare quel che resta dell'esemplare aitante, del bello della scuola. Rimiriamo il passato, il riflesso di ciò che non è più.

E Livia non disobbedisce, nessun tentativo di fuga. Rannicchiata nel sedile, quasi a farsi piccola, il più piccola possibile, si asciuga gli occhi.

Non piangere, dico.

Mi batte forte il cuore, fa lei, portandosi una mano al petto, dalla parte giusta per semplice casualità – senti. E mi prende la mano che posiziona sul cuore, stavolta dalla parte sbagliata. E io per gentilezza dico: batte fortissimo.

Intanto la piazza si anima. Crocchio di anziani alla panchina, donna al bar, uomo in tuta da lavoro. Pomeriggio di un giorno qualsiasi in un paese di provincia, immagino i giorni scorrere uguali. Il cielo si addensa di nubi, la pioggia svirgola fitta, estate, le foglie secche alzate dal vento, autunno, inverno, scende la sera.

Livia supplica: rimaniamo ancora un po'. E rimaniamo

– silenziose, stordite, tipo veglia con lei che non tentenna mai. Non implora di potersi avvicinare, solo per vederlo meglio, no.

Le basta questo, averlo ritrovato. Il cuore batte fortissimo, da qualsiasi parte sia.

Registro una piccola accelerazione anche del mio. Osservare Massimo da quaggiù ricalca la distanza di un tempo, riportando in superficie palpiti passati, quanti palpiti. Palpitavamo nei corridoi, lungo le scale, nascoste dietro le porte, di sbieco, di sottecchi. Per un breve periodo tu hai amato Massimo, riavvolgi il nastro, scrittrice. Hai amato lui come i più in voga della scuola, che con un semplice saluto ti avrebbero fatto salire di livello. Il mondo allora era a piramide, per ultima venivi tu.

Ricapitoliamo: dalla provincia precipiti in città, Roma, quartiere Parioli, e non passi inosservata. Koala, trucco. Un mascherone, diranno alle tue spalle. Ti senti persa, dentro di te chiami mamma, a ogni passo mamma, tranne poi maltrattarla quando ce l'hai davanti: perché mi hai strappato alla mia vita? Piango, pretendo un risarcimento. Fammi essere come gli altri, una miliardaria come tutti, mamma. Indennizzi non ne arrivano, anzi, scorgo solo segni di deperimento – chi siamo diventati, dove finiremo. Andiamo a fare shopping, via del Corso (è forse la volta del camerino? La volta del: sono un mostro?). Via del Corso, pranzo da McDonald's, e io scrittrice, germe di scrittrice, sento l'incertezza esplodere, il grumo di identità che ero deflagrare, mille pezzi di me, neutroni, elettroni, siamo diventati poveri.

È con questa condizione d'animo che guardo i maschi del liceo Mameli. Con questa ambizione ascensionale amo. Sarà l'amore a farmi diventare la miliardaria nella forma e non nella sostanza che desidero essere – datemi un attico, un cigno. Così punto Massimo e cento altri.

Sogno Massimo, lo accantono: amore impossibile. Il mio non è esattamente amore, piuttosto aspirazione indifferenziata a qualcuno di loro. Desidero ogni maschio della scuola, spero in uno sguardo a caso. Normale dunque che oggi non li ricordi singolarmente, bensì insieme, come un esercito. Turbolenti, chiassosi, i ragazzi del liceo Mameli correvano su e giù per le scale, sbattevano porte. Più che un esercito, una mandria. Una mandria rumorosa di maschi, li sentivi arrivare. E se non ti facevi da parte, finivi calpestata.

8

Dicevamo, porto Livia dal colpevole. Metto a rischio l'ordine sociale mantenuto fin qui, riavvolgiamo il nastro, fermandoci stavolta al post incidente, nel momento in cui la madre, sollevata che la figlia sia salva, ma ostinata a non vederne il danno, pur di non vederlo, concentra la mente sulla causa. Non credendo all'incidente, Livia che perde l'equilibrio nel tentativo di fuggire, si convince che quella notte ci fosse qualcuno. Qualcuno che l'ha spinta. Richiede i tabulati telefonici, scopre l'ultimo numero con cui ha parlato la figlia, cosa che Massimo ha omesso, ricordiamolo nel corridoio di scuola a giurare di non sentire Livia da mesi.

Paura, viltà. Diciotto anni, Massimo ha solo diciott'anni e ciò che sta accadendo è enorme (in un tempo di rapimenti, Emanuela Orlandi mai tornata).

Se mente su questo, mente su tutto. Lui quella notte è salito dall'impalcatura, ha spinto Livia. Ma poiché non ci sono prove della sua presenza né testimoni – i genitori affermano che fosse a casa a dormire –, risulta impossibile incriminarlo. Pertanto la madre di Livia sporge denuncia per istigazione al suicidio.

Al di là del percorso legale che non porta a niente, sempre la donna dà avvio a una diffamazione in società ai dan-

ni di Massimo, nonché a un resoconto di quella notte via via
più dettagliato che vede lui sul terrazzo, e lei, madre della vittima, passare in salotto, riconoscere l'ombra ma, pensando a una delle solite bravate della figlia, tornare a letto.

Movente (sempre in società): Massimo covava rancore
per Livia che lo aveva lasciato. Non riusciva ad accettare la
fine della relazione. Dai tabulati telefonici risultavano centinaia di sue chiamate solo nell'ultimo mese.

Di questa versione si autoconvince, tanto da non poter essere accusata di menzogna. Non si tratta di una donna in-
tenzionata a danneggiare chicchessia, bensì di una madre
determinata a non vedere.

Avvia indagini sue, qualcuno o qualcosa che possa fornire indizi contro Massimo, o comunque – questa la sensazione a risentire il materiale – un'indagine su Livia. La ricostruzione di una figlia che non conosceva, pezzo per pezzo.

Cerca le persone, in primis l'uomo fuori scuola. Registra
le testimonianze attraverso un piccolo registratore – ecco il
nastro, lettori – con l'idea di portare prove agli inquirenti
che, a suo vedere, non stanno indagando abbastanza. Arriva
a interrogare amici, conoscenti, chiunque abbia incontrato
Livia, in una ricerca dissennata – a risentirla oggi, appunto,
perché qualcuno la risentirà. Alla sua morte, nell'ordinare
gli effetti personali, Federica trova le cassette, in totale trentasei, numero che testimonia la disperazione di una madre
fin lì apparsa fredda.

Che voragine di dolore dietro alle trentasei cassette, alla
folla di fantasmi. Non sono catalogate, da nessuna parte ri-
sultano i nomi degli interpellati. Infiliamone una, play: esplosione di voci a susseguirsi nel vuoto.

"Sulla cute trovavo tagli, taglietti." Voce di donna. "Le
dicevo di smettere di grattarsi, era un tic nervoso il suo, e
io dicevo basta, che se continuava rimaneva calva. Dicevo:
vuoi diventare brutta, Livia?"

L'ostinazione della madre – diffamazione e indagine –

porta a una controdenuncia della famiglia di Massimo, il quale viene spedito in America, come sappiamo.

Questa fu la guerra che animò le due famiglie. E se legalmente scaturì in un nulla di fatto, l'acredine rimase.

Non possiamo sapere se in circostanze diverse Massimo sarebbe ricomparso nella vita di Livia. Di fatto si perdono. L'ultimo incontro è in ospedale.

Ragionando, si condizionano la vita vicendevolmente, seppure in modo opposto. Per Livia il pensiero di lui funziona da miraggio, l'amore che può tornare.

E dopo trent'anni torna davvero, visione in lontananza, uomo nella luce del pomeriggio, nella luce della sera.

L'amore che torna grazie a me – perché lo fai, scrittrice di provincia? In nome di cosa?

Atto di fede, restituzione. Pietà.

Nella piazza scende la sera, mentre noi nascoste, infreddolite, mettiti il cappotto, dico, e lei scuote la testa.

In nome di cosa, in rappresentanza di chi?

Chi sono io, unico adulto. (Ti sei mai pensata come adulto? Persino nella maternità, nel momento del parto, ti sei forse considerata un adulto? Sii onesta. O piuttosto hai passato la neonata nelle braccia del padre temendo che dalle tue cadesse?)

9

Il motivo per il quale dedico tempo a una conoscente disabile dalla memoria danneggiata che mai potrà avere gratitudine nei miei confronti (squarcio sulla mente di Livia: a cena dimentica quel che ha mangiato a pranzo).

La ragione profonda che mi fa dannare per una persona che anche in passato non ha compiuto niente di buono per me. Puoi ricordare un solo momento in cui sia stata gentile? Un istante nel quale ti abbia dedicato uno sguardo – il suo sguardo ti superava, sorvolava.

Non sei neppure certa che ricordasse il tuo nome, una volta l'avevi sentita rispondere alla madre che chiedeva dove fosse Federica: con la cicciona. E intendeva te.

Confessa di quando l'hai incontrata per caso. Estate, cinema, lei con un gruppo di amici. Tu abbassata sulla poltrona per non essere vista, tu che uscendo cerchi di distanziare la barbona per non far capire che siete insieme, pronta a disconoscerla (quella donna mia madre?). E Livia abbronzata, gambe nude, gambe lunghe. Livia bionda. Livia che passando vicino non ti saluta – non ti vede o non ti riconosce. Del resto, chi sei tu al di fuori del contesto? Chi sei lontana da Federica? Esistevo, pensavo nel tragitto cinema-casa. Esistevo, rigirandomi nel letto. Esistevo, mi addormentavo. No.

E la barbona diventava interiore.

Dunque, in tutta sincerità, puoi dire che quella notte, molte notti dopo questa del cinema, la notte di ululati e barriti, 23 ottobre 1988 – mano sul cuore: puoi dire che rimanere ferma non sia stata vendetta? Nel tuo inconscio o nella tua coscienza sporca, quella notte in cui tutti facevano a gara a esserci ma non c'erano, e c'eri tu, puoi dire che non sia stata una scelta deliberata lasciare andare la ragazza bionda, gambe magre, gambe lunghe?

Sul terrazzo della palazzina rosa, tu al di qua della vetrata, lei al di là, puoi affermare che sia stata una questione di attimi, prontezza di riflessi, lasciar precipitare la ragazza?

Puoi giurare che a lasciarla andare non fosse l'emarginata, la cicciona? Sei pronta a giurarlo, mano sul cuore – lato sinistro/destro?

Ecco chi sono, lettori. La persona che quella notte ha visto Livia gettarsi dal cornicione – nessun incidente, nessun individuo misterioso a spingerla. La più bella della scuola, il desiderio di tutti voleva morire. E io non l'ho impedito.

Fatta la rivelazione diventa esplicito il senso di questo racconto – pensavate fosse illogico? Un nostalgico quanto vago ricordo di giovinezza? Ringrazio chi è arrivato fin qui, pagina 164 – spero tanti, tantissimi, consentitemi di operarmi. Abbiate pietà per questa donna presentatasi come la più grande scrittrice vivente, la provinciale disadattata che ce la fa, s'impegna e ce la fa, applausi. Perdonate la viltà di farvi credere che si trattasse di una storia di rivalsa, una vicenda edificante di incoraggiamento per tutti – umili, poveri –, quando era qualcosa di personale, una faccenda privata di espiazione. Nessuna persona buona si erge dalle ceneri della scrittrice di fama (sei mesi, poi l'oblio). Da adesso basta mistificazione, a parlare è la fallita – e indietro, nel passato: la colpevole. Inutile stabilire distanze e tempistica, se fosse stato possibile fermare Livia, avere la prontezza di afferrarla.

Soprattutto per me, per ciò che, mio malgrado, si è andato formando nella coscienza in questi anni.

Massa densa nel ventre. Grumo di tre, cinque chili, il peso di un neonato, che un giorno o l'altro sarebbe venuto fuori – l'esplosione evocata era interiore, fosse Anita la mia esplosione?

Omissione, menzogna.

Per esempio, io sapevo che quella notte Massimo non c'era, e Livia è salita sul cornicione di sua iniziativa. L'ho sempre saputo, e avrei potuto scagionare Massimo: come sarebbe stata la sua vita?

Come sarebbe stata la vita di Livia se io, anziché esitare, pisciarmi sotto, mi fossi gettata su di lei, tirandola a me, stringendola.

E la tua, come sarebbe stata la tua di esistenza? Quale destino? Saresti diventata scrittrice, scrittrice? Reporter?

10

Appunti per reportage:

Anche Luisa – diciassette anni, menu C – diceva di stare benissimo (peso 42 chili, altezza 1,60). In verità non ricorda molto di quel periodo, che era un anno fa ma pare un secolo. Ricorda il freddo. D'inverno, d'estate, tutti a maniche corte, lei con il golf. "Come essere sempre fuori stagione" dice. Ha passato un anno scolastico attaccata al termosifone, a maggio però lo hanno spento, e lei ha avuto paura. Una mattina è svenuta, ma di quell'episodio ricorda poco. Ricorda di aver aperto gli occhi e di aver trovato le persone intorno, ricorda quel che ha detto, l'unica parola. Se a scuola si sentiva in pericolo, a casa si sentiva al sicuro. Fon per riscaldare mani e piedi, lunghe docce di acqua bollente. Poi ricorda – altro ricordo nitido, uno dei pochi di quel periodo lontano che è l'anno scorso – la caldaia che si rompe. Quel giorno in cui l'acqua diventa di colpo fredda, e lei non riesce a muoversi, piange e basta. Piange sotto la doccia gelida, finché non arriva mamma. Ecco la parola che ha detto appena rinvenuta, davanti a tutti, maschi, femmine, professori, la prima parola: mamma.

In classe c'è una che le pare se stessa quando era grassa, mangia le cose che mangiava lei un tempo, sempre un anno

fa. Unendosi ai compagni, Luisa la deride, perché allontanare quella tizia significa allontanare l'essere ridicolo che
è stato lei. Vorrebbe non vederla più, che cambiasse scuola, città. La guarda e pensa che sia la sua immagine dupli-
cata, dice: "Prendo la foto di classe, e ogni volta sbaglio. Mi
scambio per lei".

11

6 marzo menopausa, 20 aprile fine dell'esperienza televisiva di Anita. 28 maggio, tenete a mente questa data, quando sarà primavera inoltrata, e i mandorli inizieranno a sfiorire. Per adesso siamo all'inizio di aprile, mandorli in fiore, l'amante mi scopa nel bagno di un bar. Non propriamente scopare. Si cala i pantaloni, mi viene in bocca, ti volevo tanto, dice. Comincio ad amarlo. Chissà quando ci rivedremo, la prossima volta ti voglio dentro – detto con sfida del pericolo, come se non fossi una donna in menopausa. Non pensiamoci, viviamo il momento finché si può, finché qualcuno non mi smaschera. Concentrare le energie su sesso e lavoro, questo è il proposito, se non fosse per Livia che manda messaggi, telefona.

M'invita da lei, guardiamoci un film, rimani a dormire. Facciamo l'alba. Era a quindici anni che volevamo fare l'alba come segno di autonomia, di vita adulta che si spalancava davanti?

Sono il suo alibi, se il padre la sa in mia compagnia è tranquillo, si fida.

Oppongo resistenza, la responsabilità vince sulla colpa. Non posso, dico, devo ricercare materiale per il libro. L'idea è quella di creare una cornice alle testimonianze, viaggio nei disturbi alimentari, io che vado a Todi, nel centro che ospita le ragazze. Per il momento accumulo interviste, sento le pazienti al telefono, ci scambiamo mail, col permesso della direttrice. Fisso una data per andare di persona.

Aspetto l'amante fino a notte inoltrata, quando arriva il messaggio: "Ho avuto un problema, ti chiamo domani".

E dunque, Livia, perdono – dico e ridico, rifiutando gli inviti.

Razionalmente: ho espiato? Non posso farmi carico di questa persona a tempo indeterminato. La durata dell'espiazione la determino io in base a ciò che sento. Sento di aver ripulito la coscienza?

Aprile, fuori primavera, nel vedere il nome di Livia sul telefono decido di non rispondere.

Lei richiama. È fatta così, un animaletto cocciuto. Il criceto dell'infanzia. Quel criceto che, liberato nella stanza, torna a sbattere sulla vetrata.

Poteva sbattere senza sosta.

Su questa associazione rispondo.

Dall'altro lato la voce rotta: vienimi a prendere.

Prima di procedere nel racconto voglio spostarmi dall'altra parte d'Europa. In un volo non proprio d'immaginazione.

Oltre la Francia, oltre il canale della Manica.

Oggi a Londra è una giornata fredda, il cielo grigio minaccia pioggia. Mia figlia sta tornando dall'università. La giacca troppo leggera, l'abitudine di non coprirsi abbastanza. Uscita dalla metropolitana percorre i chilometri che la separano da casa, due chilometri e seicento metri. Cammina spedita, gli anni di danza classica non hanno viziato il passo, niente papera, piuttosto un portamento elegante, che forse sarebbe stato uguale senza i tre anni di danza. Più probabile che sulla postura abbiano influito gli anni di nuoto, cinque, di certo non i due di hip hop. E dunque la ragazza cammina verso casa. Qualche uomo la guarda. Non sempre giovani, cosa che a me madre infastidisce, e la colpa non è della ragazza, poco vistosa, capelli raccolti. La colpa è nello sguardo degli uomini, che se potesse, la madre, esattamente da quello difenderebbe la figlia. In totale contraddizione con altri momenti della vita, vedi le fasi in cui temeva che ingrassasse, diventasse bassa e grassa come lei, che nessuno la volesse. La stessa madre del resto che a volte suggeriva alla figlia di ingrandirsi il seno, altre di diminuirlo. Contro e per quel desiderio che lei stessa fronteggia dall'adolescenza. La lotta personale della madre per e contro l'ardore – cos'erano le diete, quantunque fallite, e gli occhi azzurri? Perché l'autostop di notte nelle località di mare? Due ragazzine, tu e Federica, due ragazzine col pollice proteso nella speranza che si fermasse un maschio, qualcuno. E no, non si fermava nessuno, tranne una volta, ed era una donna. Beata Livia, pensavate allora. Meno dopo l'incidente, assistendo alla trasformazione, la caduta di freni inibitori. Fuoco sempre acceso, lampada che emette luce – lampada solare, o lampada rosa sul comodino di fianco al letto sfatto il giorno che sparisce. Impossibile non ragionare sulla mutazione, l'ingranaggio del cervello inceppato che la mette in connessione diretta con la frenesia sessuale. Simile a quella degli animali, vedendo per strada un cane che tenta d'ingropparsi un altro, il pensiero va a Livia. E tu, madre, distogli lo sguardo. Ancora nell'altalenante rapporto con la passione – rifiuto e slancio. Un fervore che tutt'oggi affronti male, malissimo, nel bulimico prendere, arraffare di amanti (pochi o tanti che siano, conta l'arraffare). Una madre in bilico tra infanzia ed età adulta, questo sei, ferma alla creatura a metà.

Presente, Londra: la figlia cammina quando inizia a piovere, piovigginare, e lei non ha l'ombrello, sicché corre sotto la pensilina del bus. Seduta sulla panchina – precisamente quella, o un'altra poco distante, che la madre ha visto su Google Maps individuandola come il punto dove la figlia, in caso di pioggia, neve, avrebbe potuto ripararsi.

Ecco da cosa la madre vuole proteggerla.

Lasciando la figlia sulla strada di Londra, al riparo, veniamo alla madre che, mani sul volante, guida, lei che non ama guidare.

Ansimando, imprecando, insieme augurandosi che non sia successo niente, perché proprio lei potrebbe essere accusata. Chi ha insegnato a Livia la strada, chi l'ha condotta laggiù – qualcuno testimonierà, e tu sarai responsabile. Se non ci fossi stata tu, diranno. E avranno ragione.

Superata da auto e camion, la colpevole tiene la strada con trepidazione, intimorita da qualsiasi ombra che si manifesti dietro, grande o piccola – dallo specchietto paiono tutte enormi, masse enormi a incombere –, quasi potessero investirla, invece sorpassano. Se non fosse il momento che è, varrebbe la pena segnalare che si tratta della prima volta da sola in autostrada. La volta precedente era con Livia, perché sì, basta una persona di fianco, un essere vivente a tranquillizzarmi – come dormire nella casa nel bosco con mia figlia neonata, come la donna del libro o del film che si suicida col gatto.

Stringendo fortissimo le mani sul volante, vigile, a sprazzi lucida: come ha fatto ad arrivare?

Non è una novità che mi stupisca di certe azioni di Livia. Lei ricorda, dimostrandosi migliore di come uno l'ha creduta, arrivando a instillare il dubbio che stia fingendo. Che questa persona abbia finto per anni? Poi torna l'apprensione, i dubbi risucchiati nel vortice dell'ansia. Immagino il peggio. Livia che si avvicina, Massimo che reagisce. Vattene. Lei che scoppia a piangere, gli si scaraventa contro e prende a battergli i pugni sul petto. Io ti amavo – tra le lacrime. Lui l'allontana, lei torna sotto. Vattene o chiamo la polizia. La strattona, cade.

Nella mia mente Livia cade all'infinito.

Dovevo impedire che lo rivedesse, nessuno in questi anni lo ha permesso, e lei lo avrà chiesto, figuriamoci. Quanto l'avrà chiesto al padre, alla sorella. Pregato, implorato. Tutti a negarglielo, comprendendo il pericolo di un eventuale incontro, tutti tranne me, scriteriata. Barlume di cattiveria, la tua era cattiveria mascherata da bontà.

Una moto mi supera in curva, nel frattempo ho lasciato l'autostrada per imboccare la strada di campagna, fiancheggiata dagli alberi – che siano lecci, abeti, carpini, olmi, pini marittimi, mai saputo distinguere, non conosco i nomi di fiori e piante, vivo in un mondo di glicini. Il mio ex marito diceva: il susino sta ingiallendo, e io guardavo a destra, dalla parte sbagliata del bosco.

La scena che si presenta ai miei occhi già dalla piazza, a molti metri dal negozio, oltre il vetro della porta, la scena è di quiete.

Livia su un divanetto, a ridere buttando indietro la testa.

Massimo poggiato al bancone.

Indugio, nascosta nella semioscurità, tardo pomeriggio.

Quando entro, sono pronta a presentarmi come l'amica di Federica, quella grassoccia – per velocizzare l'identificazione.

Massimo si avvicina: sei tu, dice.

E sul momento penso che mi abbia confusa con un'altra.

Ma no, parla a me, si rivolge proprio alla persona che sono diventata, scusandosi di non aver letto il libro, ha comunque seguito la mia carriera, sui giornali, in televisione, un'intervista in cui raccontavo del mio passato difficile, e lui si è dispiaciuto, gli è dispiaciuto scoprire che avessi problemi nel periodo della scuola – pausa, quasi a intendere che se solo avesse saputo avrebbe fatto qualcosa. Il più bello del liceo mi avrebbe consolata.

Nel mentre Livia gioisce: sei arrivata.

E io disorientata, cos'è questo quadretto privo di rabbia, penso. Cosa sono queste persone insieme dopo una vita a fuggirsi e combattersi, seppur non direttamente, attraverso le famiglie.

Passavo da queste parti, si giustifica Livia, mi sono detta: perché non andare a salutare Massimo?

Spaventata dal mio silenzio, cambia tono: sei arrabbiata? Come se fossi il padre, la sorella, facendomi innervosire, con la tentazione di voltarmi e andarmene, lasciarla lì, fatti suoi, del padre e della sorella.

L'avrei riportata io, s'inserisce Massimo.

Sì, segue Livia, è stato gentilissimo, un signore – e sposta lo sguardo su di lui, sorride, vedendo il diciottenne, lei vede il diciottenne.

Eppure Massimo è lontanissimo dall'adolescente che fugge dalla stanza di ospedale, che si eclissa da un giorno all'altro dall'esistenza della femmina non più bionda. Qualcosa da bere? chiede.

Aperitivo! esulta Livia.

Sarà il caso di metterci in macchina se non vogliamo viaggiare di notte, dico. Aggiungendo che il padre ha chiamato me, e io ho mentito, ho detto che stavamo insieme e che l'avrei riportata dopo cena. Vuole farlo preoccupare? Creare inutili allarmismi? chiedo. L'impulso sarebbe prenderla per un braccio, trascinarla via, dovesse opporre resistenza, tirarla per i capelli.

Resisto perché di fronte non ho una persona normale, ma una pazza dalle reazioni imprevedibili, e la mia missione è quella di riportarla a casa salva, per lasciarla al padre, alla sorella, a chicchessia costretto per sangue o lavoro a prendersene cura, e a loro abbandonarla.

Ecco la durata dell'espiazione. Fatemi arrivare rapida al termine, ci sono quasi, l'idea che dopo avrò chiuso i conti. Staccherò il telefono, cambierò numero, sparirò dall'esistenza di queste persone con cui non condivido niente e che niente rappresentano per me.

Arriviamo veloci alla fine.

Se non fosse che Livia lo impedisce. Guarda che cose bellissime, dice allargando le braccia agli oggetti del negozio. Non è stupendo? indicando un comodino. Quindi a Massimo: quanto me lo fai?

Livia, intervengo.

Seriamente, a quanto me lo metti?

Lui tentenna, prova a convincerla a lasciar perdere, lei non demorde, sostenendo che le serve, l'ha cercato tanto, è perfetto per la sua stanza.

(Soffermiamoci su questa donna che parla di stanza e non di casa, riflettiamo su questa cinquantenne che dispone di un unico spazio: la sua camera rimasta intatta da allora. Rosa.)

Quindi, in preda a una furia dimostrativa, fruga nella borsa, tira fuori i soldi – sparsi alla rinfusa, caramelle, fazzoletti sporchi –, cento, duecento, conta. Il padre si assicura sempre che abbia contanti con sé.

Appena credo di averla convinta a partire, lei chiede del bambino, vorrebbe tanto salutarlo, con me che domando: quale bambino. Il figlio di Massimo, risponde lei.

Esiste un bambino.

Spiega di averlo incontrato prima, era passato a trovare il padre. Dovresti vederlo. Devi vederlo, rilancia, forse la scusa per trattenersi oltre. O reale interesse, lei è attratta dai bambini. Per strada li ferma. Come ti chiami? chiede chinandosi, e le madri turbate a scansarli.

A seguito dello scambio sul bambino, a quest'ora a casa, informa Massimo – ci sarà di certo un'altra occasione, promette –, riesco a portarla via. Ci ritroviamo fuori, e d'un tratto comincia a piovere. Ma Livia, piuttosto che ripararsi – in macchina, sotto una pensilina di qualsiasi strada del mondo –, lei si sposta al centro della piazza. È neve, dice. Allarga le braccia, viso rivolto verso l'alto, bocca spalancata a ingoiare pioggia direttamente dal cielo.

Che sia questa l'immagine esatta del ritardo mentale.

Non gli impeti improvvisi. Denudarsi, urlare. Volteggiare, perdere l'equilibrio, nuotare sul tappeto con la ciambella. Non l'errore di misura, inciampare sulle scale credendo lo scalino più basso. L'errore di tempo, dimenticare che tua madre è morta, non ricordare di avere cinquant'anni. Che sia questa la radiografia – altro che cervello sul monitor, agglomerato nero sul lobo sinistro –, la radiografia perfetta del cervello danneggiato.

La trascino per un braccio per portarla al riparo – si accende l'istinto materno. Cos'è del resto questo impeto di protezione, questa lotta spavalda contro le intemperie? Pronte a bagnarci, gelarci, ammalarci, cadere, precipitare, precipitare al posto delle figlie.

Il pensiero ad Anita – in macchina, lungo il viaggio, con Livia che si accoccola su un fianco, chiude gli occhi.

Se ho detto che al quiz si può perdere, e tornare, non ho detto che perdere comporta la caduta nella botola ("La botola ai suoi piedi si apre, facendolo precipitare", riferito al concorrente – da Wikipedia). È sulla caduta che concentro l'attenzione, andando a cercare dettagli, scoprendo che, in virtù di questa, ci sono vincoli per partecipare al programma, quali età compresa tra i diciotto e i cinquantacinque anni, non pesare oltre cento chili, essere alti meno di due metri, non soffrire/aver sofferto di problemi cardiaci o alla schiena.

Sicuri che Anita abbia il cuore a posto? Ultimo elettrocardiogramma? E la schiena? L'accenno di scoliosi? Manifesto un'apprensione nuova nei confronti di mia figlia, a cui ho lasciato grande libertà fin da piccola. Quanta libertà, al punto che qualcuno mi considerava una madre indifferente. La tata diceva: la porto al parco, poi succedeva che andassi a cercarle, non le trovassi, pazienza. Non mi agitavo. Forse un po'.

Adesso invece, adesso che ha vent'anni, vorrei sapere esattamente dove si trova (Google Maps), al riparo sotto le pensiline, innalziamo pensiline, madri.

12

Livia è il peso che Federica ha deciso di scaricarmi, sia pure temporaneamente – quanto dura questo temporaneo? Se in principio pensavo che il suo fosse un atto di fiducia, ora capisco che trattasi di punizione. Mentre recitava la parte della buona, e manifestava gioia per la mia fama, dentro macerava invidia, insieme alla voglia di farmi vivere la sua di vita, fare cambio, anche per poco. E adesso che l'ho vissuta posso arrendermi, dire: hai vinto, sei la migliore, contenta? Mi convinco che le cose stiano così, e decido di chiamarla per il rito di restituzione, si riprendesse Livia, tornasse a farsene carico.

Dopo molti squilli, risponde un uomo. Si scusa, ma Federica al momento è impegnata, dice. Sono il marito, si definisce, proprio marito, non ex. Posso riferire un messaggio?

A questo punto è evidente che Federica nasconda qualcosa, non è neppure detto che sia a Genova, tanto meno che quello sia il marito. Probabile che si stia divertendo da qualche parte, magari all'estero. Sai perché non ha risposto? Stava facendo il bagno. La immagino su una spiaggia, bikini, tette. La immagino a sospirare: non voglio tornare più – rivolta all'amante. Rimaniamo qui per sempre – girandosi per prendere il sole dietro, mostrando così il sedere, magari ripromettendosi di rifarsi anche quello, adesso che ha un uomo.

Mi richiama la sera stessa, e domanda se ci siano problemi con Livia. Anziché raccontarle della fuga, di Massimo, anziché compiere l'atto di restituzione – riprenditi il fardello, la croce –, io dico: nessun problema, giusto un saluto. Allora lei, la voce bassa, come se avesse appena finito di fare l'amore, parla confusamente. È importante mangiare bene, l'ottanta per cento della popolazione ha una carenza di vitamina D, e non lo sa, dice. Quindi: la parrucca... la parrucca di mia madre era bionda.

E io penso che sia ubriaca. Ha fatto l'amore, e si è ubriacata insieme all'uomo. Forse rifanno l'amore. E io a casa, sotto le coperte, io spengo la luce.

Sulla mensola del bagno la madre di Federica teneva le parrucche. Bionda liscia, rossa riccia. Esemplari di capelli veri, come venimmo a sapere la volta che ci sorprese a studiarle: non toccatele.

Mentre mia nonna le portava per nascondere la testa calva, causa alopecia, quella donna le indossava per vezzo, mostrarsi diversa in società.

Un pomeriggio che non è a casa, un pomeriggio che siamo sole io e Federica, l'idea.

Prendiamo la testa bionda, è Federica a scegliere proprio la bionda. Trepidazione, gridolini, il mondo è nostro. Nostro! – è come se stessimo urlando. Quasi ribelli dietro la tenda della finestra, gli occhi al giardino del piano terra dove lanciamo la testa. Trasgressive, rivoluzionarie! Disobbedienti come nel film in cui la figlia del reverendo rimane in equilibrio su due macchine in corsa, un piede di qua, l'altro di là – come si chiamava? *Footloose*. Siamo questo dietro la tenda. Le folli sulla macchina, di più, sul tettuccio della macchina, dell'aereo, indomite, libere.

L'attesa è lunghissima prima che spunti qualcuno, si accorga della testa, si spaventi – lo vediamo sobbalzare, avvicinarsi, chinarsi, per quel che può, allungare una mano.

E noi ridiamo ridiamo, non c'è niente di più bello che spaventare persone, un vecchio.

(Quel vecchio che più avanti sarà il salvatore di Livia, se non ci fosse stato il tendone, se non ci fosse stato lui.)

Intanto noi siamo lassù, a deriderlo dietro la tenda.

13

Nel paese di campagna è avvenuta la mia inversione interiore. Piazza, pioggia – s'infiamma il presente, ingigantisce la madre, rimpicciolisce l'adolescente, incenerisce il desiderio di rivalsa nei confronti dei ragazzi del canestro –, plotone, mandria, occhi chiari.

La voglia di vendetta perde slancio al cospetto di Massimo in carne e ossa.

E non per pietà, presa di coscienza che di fronte a me c'è un uomo inoffensivo. Piuttosto constatazione che di fronte all'uomo – ribaltamento, non servono più specchi, ragazze, né vetrine di negozi – incombe una donna inoffensiva, io.

È tutta una questione di fantasmi, gente che continua a muoversi nella testa come l'hai lasciata. Ritrovarla è una delusione, il fucile che rincula, facendoti sobbalzare in avanti, benvenuta nel presente. Lampo d'indulgenza plenaria: anche tu, Lavinia, in qualunque luogo sia, vai in pace.

Nella piazza del paese si è spento l'ardore giovanile, forse l'intera giovinezza. Svanita la smania di pareggiare i conti – ammesso che fossero da pareggiare, e non si trattasse ancora di alterazione soggettiva –, svanita quella, cosa resta. Una donna di mezza età, Anita – il telefono acceso, dovesse chiamare, speriamo che chiami, di giorno di notte. Trilla il messaggio, prego che sia lei, fa' che sia lei.

Come va? Ecco come Massimo compare sul mio telefono, nella mia vita, e non per interposta persona, Federica, o Livia.

Fossero stati trent'anni fa – quando bastava uno sguardo di sbieco per palpitare –, fosse stato il tempo del liceo, il cuore avrebbe sobbalzato. Ma ho quarantasette anni, menopausa. Al momento provo maggiore emozione per un messaggio di Anita che per quello di un uomo, sebbene costui abbia abitato le mie fantasie di sedicenne che no, non si risvegliano (la giovinezza è finita sulla piazza, dicevamo). Gli ardori non si riaccendono né quella sera, né in seguito, al che lui continua a scrivermi, se avessi sedici anni, occhi azzurri.

Rispondo sbrigativa, quando non lascio passare ore, addirittura dimentico. Giorni, settimane. Col successo di uomini intorno ne ho avuti, avvezza a tenerli a distanza, ormai donna di mondo. Le dichiarazioni d'amore non smuovono niente nella persona che sono diventata. Corteggiamento: sequela di parole a vanvera. Innamoramento: stato passeggero di suggestione.

E che io sia abituata alle lusinghe maschili, Massimo deve capirlo, difatti alza il tiro. Mi sei sempre piaciuta, scrive.

Ricordo precisamente dove sono.

Quella mattina – è mattina, cappotto blu – non solo rispondo, ma penso che per me abbia inizio una nuova fase della vita, o del film (non era finita la giovinezza?). Primo piano mio, voi in platea.

Sono al supermercato, fuori primavera. Gli ormoni si risvegliano.

E appena il ragazzo, sempre lui, il ragazzo che ho amato (va bene, insieme ad altri cento, al plotone), appena quell'esemplare di amore mancato scrive: ti penso.

E perché, la volta del messaggio: vorrei averti con me, baciarti.

Anche qui ricordo precisamente dove sono, da Livia.

Vi dico cosa ho provato di fronte alle vetrate con le luci della città che poteva essere Los Angeles. Resuscitare a Los

Angeles, luogo che ha consacrato una creatura a lungo incompresa, usata da uomini feroci, usata e gettata via. Quante violenze, Marilyn, prima di essere amata davvero (1926-1962).

Marilyn Monroe muore a Los Angeles il 5 agosto 1962. Suicidio, overdose di sonniferi. Viene seppellita con la parrucca bionda indossata nel film *Gli spostati*.

Andiamo ora da un'altra parte del mondo, da un'altra ragazza che non ha bisogno di specchi da quando ha incontrato il nuovo amore, più giovane, vent'anni più giovane, prestante.

Ritroviamo Federica sulla spiaggia, immaginiamola con lui che la convince a fare un'immersione, guardare i fondali. E lei lo segue, seppur con timore, si cala in acqua, scende, scende, decine di metri sotto il livello del mare, quando le passa davanti un banco di pesci blu.

Oppure: l'uomo che ha risposto al telefono era davvero Giorgio, con cui è tornata. Le ha detto: non buttiamo via la nostra famiglia. E lei ha acconsentito, provando a ricostruire giorno per giorno.

O anche: sempre immaginando la ragazza che non ha bisogno di specchi, scoprire che li evita.

Da un paio di mesi Federica non si guarda allo specchio, eccetto in uno piccolissimo dove vedersi a porzioni, gli occhi senza ciglia, evitando di salire e imbattersi nella visione di sopracciglia e capelli caduti. Tutto ricrescerà, si dice, per esperienza diretta. E proprio perché è una situazione già vissuta preferisce non mostrarsi. Al padre, alla sorella a cui non ha detto niente. Ai figli che al contrario sanno, ma per fortuna vivono lontano. Estende il contegno agli estranei, per non parlare dei bambini per strada che vedendola si spaventano. Se deve uscire si prepara con cura. Le volte che non indossa la parrucca – sfinita, distratta, al termine della seduta –, le volte che la dimentica in borsa, si accorge di non averla dallo sguardo compassionevole degli altri. È una donna malata, una donna al secondo ciclo di chemioterapia. (L'unico a cui si mostra è Giorgio, presente il giorno dell'intervento, immaginiamo.)

Comprata nel migliore negozio di Milano, la parrucca è un'eredità del primo tumore. Non ricorda di preciso il costo, duemila, tremila. Un prezzo che l'aveva fatta tentennare, quasi rinunciare per poi cambiare idea: non spreco, bensì gesto di vitalità. Come acquistare un vestito costoso sapendo che lo indosserai in un'unica occasione, come un abito da sposa, ci si sposa una volta sola. Petali di rosa, colombe che prendono il volo a sancire l'inizio di nuova vita. Rappresentava quello, la parrucca. Cento di questi anni, e non è un errore: letteralmente anni.

Immaginiamo che la parrucca diventi il simbolo degli anni a venire, e Federica se ne prenda cura più di quanto abbia fatto coi suoi capelli: lisciati, martoriati – ricordi la piastra passata e ripassata, anche se non dovevamo uscire? Tu capelli lisci, io occhi azzurri.

Anziché spazzola e pettine, dopo aver lavato la parrucca, lei usa le dita con una delicatezza mai riservata ai suoi capelli, strizzati frettolosamente, strappati (e i grovigli nella doccia? A volte erano tuoi, altre di Livia, e te ne accorgevi nel momento in cui li raccoglievi, notando il biondo lucente).

Siccome è una giornata di sole, preferisce asciugarla all'aria.

Si allunga sul letto – fascio di luce dalla finestra. Una lama che trafigge la parrucca sul davanzale, lei distesa, il vestito appeso alla gruccia, quante ragazze ad affollare la stanza in questa giornata di primavera, in questo palazzo dai davanzali fioriti. Immaginiamo se adesso da quello del secondo piano precipitasse qualcosa. Se lo scalpo biondo scivolasse giù, fluttuando nell'aria, per planare sul prato, giacché anche la tua camera di Genova dà su un giardino.

14

Dovrebbe essere facile mettere a tacere gli appetiti, mai avuto uno spiccato impulso sessuale. Persino in gioventù potevo rinunciare, ho rinunciato, e non era un sacrificio. Libido dormiente. Gli amanti che enumero ci sono stati, ma i rapporti consumati sono diradati nel tempo. Anni di astinenza assoluta alternati ad anni che contano cinque, sei rapporti in totale. La mia vita sessuale si riduce a una manciata d'incontri. Vale il desiderio a vuoto. Il sospeso, il nulla di fatto, gli atti immaginati, l'amore non vissuto.

Perciò quel brivido iniziale, quel sommovimento di ormoni alla dichiarazione di Massimo si estingue presto. Motivo ufficiale: Livia. Non pensi a lei? rinfaccio. Come puoi farle questo? mi ergo etica. Il punto non è se lo viene a sapere o no. Si tratta di coscienza, mettiti una mano sulla coscienza, Massimo, sentenzio, compiacendomi tra me e me. C'è qualcosa di magnifico in questa statura morale, nell'altezza raggiunta, datemi un cigno.

Se mi guardo dentro, dove dentro è la memoria oscura, la grotta buia, parlo in difesa di tutte. Paladina delle creature indifese. Sottraendomi: non dobbiamo vederci, stammi lontano.

Per giorni. Deve essere un giovedì.

Da quel giovedì diventa complicato decifrarmi. Comprendere il cambio improvviso di passo, riuscire a cogliere la coerenza, questa coerenza per le fanciulle senza distinzione, generazioni diverse, estrazione sociale opposta. So che a voi adulti, maschi, il mio agire da giovedì in avanti risulterà contraddittorio, ormonale, strategico, sadico. Ma da giovedì c'è in gioco altro, lettori, da giovedì è una questione personale. E voi, tutti voi che nel 1988 non frequentavate il liceo Goffredo Mameli, cosa volete saperne? Voi normali come potete lontanamente immaginare ciò che abbiamo vissuto noi, quella notte, le notti della nostra giovinezza dissipata, interrotta?

Voi felici non sarete mai in grado di capire la donna che dopo aver rimbeccato lo spasimante – chiamiamolo spasimante – accusato di insensibilità, menefreghismo, per settimane, non potete capire lei che giovedì chiama per dirgli vediamoci. Non arriverete a comprendere il motivo che la muove. Penserete: la cattiva – sempre la cattiva. La donna in menopausa che cede all'adulazione, mal che vada l'egoista che non vuole scocciature, e si arrende alle insistenze di Livia, perché da un lato Massimo, dall'altro lato Livia a chiedere di rivedere l'uomo che ama, e dunque la persona egoista che sono soccombe per pigrizia, penserete voi.

Pensate e sbagliate.

Nel profondo, in quel profondo oscuro e luminoso, sto accontentando tutte le ragazze non amate, tra le quali c'è la meno amata, la deforme, il fenomeno da baraccone oltre la tenda del camerino, io.

Io che apro la porta a Massimo, per condurlo in salotto da Livia. Oltre le vetrate le luci della città, sera.

Posso offrirvi qualcosa, dice Livia, come nei film, siamo in un film.

Va precisato che il padre ha la stanza al piano di sotto. Senza contare che si addormenta alle nove. Ma mettiamo l'eventualità che si svegli, mettiamo che a fatica salga al piano superiore attirato dai rumori (facciamo che abbia scordato di togliere l'apparecchio acustico, e che perciò riesca a sentire le voci). Ipotizziamo che salga, cosa vedrebbe? Noi due e uno sconosciuto. No, non riconoscerebbe nell'uomo il ragazzo di un tempo, il colpevole – che poi, a voler essere precisi, era un'ossessione della moglie a cui lui non si era sentito di opporsi. Oppure lo riconoscerebbe. Sono passati trent'anni, però. Allora questo padre anziano, malfermo, si limiterebbe a salutarlo.

Stasera non c'è pericolo per noi, per voi.

Stasera è sabato sera, ricordi le feste? (I diciottesimi iniziavano in primavera, come se i ricchi nascessero esclusivamente in quella stagione, fiori stagionali. Lavinia ad aprile, non ricordo il giorno preciso, ricordo che era aprile la sera in cui ebbe luogo la festa alla quale non ero invitata, io nel letto, rannicchiata, grassa. Se fossi onesta tuttavia direi che anche io sono nata in primavera, maggio, e forse – sempre a essere onesti – non era la data di nascita elemento, ulteriore elemento, di distinzione, o forse ero più simile a loro di quel che racconto, addirittura, mettiamolo in conto, tutto questo mondo di privilegio potrebbe essere una distorsione mia. Se fosse un ricordo fasullo? L'alterazione di una mente sotto psicofarmaci, peccato che al liceo non ne facessi uso. Parliamo allora di proiezione naturale di una mente fantasiosa, complessata, vittimista, manipolatrice, stupido fiore di primavera, io.)

Dicevamo, sabato sera. E mentre fuori, nelle luci della città oltre la vetrata, si svolgono le feste, le luci sono le feste, mille feste nello stesso istante, noi siamo in questo salotto.

Progetti per l'estate, chiede Livia.

Meglio starsene a casa, troppa gente in giro – lui.

Vorrei vivere solo d'estate, sbatte le palpebre lei.

Sui divani, via via più rilassati, io tolgo le scarpe. Massimo sprofonda tra i cuscini. Tutto diventa intimo. Parliamo di vecchi compagni di scuola, Cenci, vi ricordate di Cenci, quando lo trovarono legato al termosifone.

Livia scuote la testa.

Quindi chiede del bambino. Lo ha lasciato con la nonna, fa Massimo, si vedono poco, nonostante lui cerchi di portarlo a Roma spesso. Non vuole che cresca isolato, o almeno non completamente, poi da grande sceglierà lui se vivere in paese o in città.

E la madre? – sempre Livia.

Bravissima, dice Massimo, e non credeva. Considerata la giovane età di quando ha avuto Jonathan, venticinque anni.

Vedo Livia irrigidirsi, temo una reazione. Siete rimasti in buoni rapporti, giusto? intervengo, per sottolineare che non stanno insieme, che Massimo, a parte il figlio, non condivide niente con la ex.

Abbastanza, dice lui, in passato ha avuto un uomo che non approvavo, lei può stare con chi vuole, intendiamoci. Io parlo per il bambino.

Livia chiede se abbia foto di lei per vedere a chi somiglia Jonathan.

Massimo prende il cellulare, scorre le immagini.

Sullo schermo una donna mulatta dagli occhi grandi abbraccia un bambino bianco. Un selfie delle loro facce, guancia a guancia.

Non si somigliano.

Ha preso da me, dalla famiglia di mia madre.

Livia tace. Magari per la donna al cui confronto lei, inevitabile il confronto. Temo la reazione: ora scatta in piedi, accusa Massimo di tradimento, aver avuto un figlio da un'altra. Per timore che l'atmosfera possa farsi tesa dico: a proposito di foto.

Se Massimo sapesse il tempo che ha impiegato Livia a prepararsi. Se immaginasse. Immaginatela tutti. Lei che entra ed esce dal bagno, io sul letto. Lei scollata, braccia nude. Gambe scoperte, tacchi alti, altissimi, capelli tirati su – tutte le inquadrature del film. Mi fa il culone? chiede.

Abbiamo quarantasette e quarantotto anni, la sensazione di non esserci mai mosse da questa stanza (gemella di quella di Federica). Quarantasette e quarantotto, ma dentro sedici e diciassette, come se la crescita fosse ferma alle giornate di sole, pioggia, speranza di essere baciate, anche se l'altra non eri tu, Livia, l'altra sul tappeto era Federica. Eppure, nel frullatore del caso, l'altra sei diventata tu. Volteggia, ruota. Solleva le braccia al cielo, al palloncino, alzati sulle punte, puoi prenderlo.

Facciamo che il palloncino sia l'amore. Facciamo che quelle ore di preparativi siano un cumulo di illusioni, e che – in una mente spezzata – la delusione sia enorme. Ecco perché temo il gesto fuori misura, lo scatto.

Invece Livia rimane composta. Scosta i capelli dal volto, sorride.

Mi chiedo se in questa penombra potrebbe essere scambiata per una donna normale, la diretta evoluzione della ragazza bellissima che era, come sarebbe stata se non fosse caduta. Avviciniamoci: sguardo vacuo, mano tremante causa farmaci.

No, non c'è nulla di normale in lei. Chissà cosa ribolle sotto la calma, me la figuro acqua in ebollizione, la passione compressa, la gamma di sentimenti privi di memoria.

I nostri resti senza memoria sono questa creatura irragionevole da cui continuo ad aspettarmi una reazione inconsulta durante l'intera serata, che per fortuna passa. Passa lenta, dalle vetrate la notte si addensa, io dico: si è fatto tardi.

Anche qui, nessuna protesta. Livia sta per salutare, quando si ferma. Una cosa, dice guardando Massimo, lo sguardo pieno di dolcezza che non gli ha rivolto a diciassette anni, in vita, verrebbe da dire. Ti ricordi le feste, chiede.

Lui cerca i miei occhi, noi adulti in presenza della bambina. Padre, madre, figlia.

Balliamo, dice lei allargando le braccia.

Dopo istanti di imbarazzo, lui, l'ex rampollo arrogante, l'ex innamorato, le cinge i fianchi.

Le mani s'intrecciano.

Senza musica, nel silenzio del quartiere residenziale, Livia e Massimo ballano un valzer, quel valzer mancato dei diciott'anni, poiché i diciott'anni per lei non sono mai arrivati.

Quel ballo sfumato, abortito, arriva adesso, in ritardo di trent'anni, buon compleanno. Abito rosa, rosa come la camicia da notte con cui è terminata la giovinezza.

E io a guardarli dai margini, la festa a cui non sono mai stata invitata. Ho già detto che i ragazzi del liceo Mameli erano chiassosi? Su e giù per le scale. Un continuo aprire e chiudere porte.

15

In ascensore, da quanto tempo non sto a questa distanza da un uomo (l'ultimo nel cesso del bar, in ginocchio). La prima volta che ti ho vista, dice Massimo.

E siccome non ho reazioni, non parlo, quando dovrei bloccarlo, perché così si respingono i maschi – ma che ne so io di respingere maschi, che ne so io di maschi.

Avevi personalità, dice, si capiva subito.

Non chiedetemi il motivo per il quale rimanga in silenzio, quasi a incitarlo ad andare avanti, cosa che fa, abbassando il tono di voce, preludio di bacio. Eri bellissima, dice.

Adesso facciamo che sia vero, cancelliamo l'obesa, zainetto a koala. Dimentichiamo l'esitazione a togliersi magliette, rimanere nude.

Fermiamoci in questo ascensore. Estendiamo l'istante all'infinito, la resa dei conti che mai avrei immaginato tanto pacifica. Non dovevo umiliare, disprezzare? Addirittura dileggiare, chi siete voi, che avete concluso nella vita. E invece sono questa cosa piccolissima, femmina – la mia prima volta da femmina. Non smettere di parlare, chiunque tu sia. Raccontami chi ero e non mi sono accorta di essere.

Sei sempre stata bella, dice il ragazzo, il plotone.

E la vergine palpita. Volano farfalle, ulteriore scoperta: le farfalle evocate un tempo non dovevamo essere noi, ma parte di noi, stati d'animo, umore. Dovevano volare nello stomaco, da qualche parte dentro. Siamo state un fraintendimento di noi stesse, abbiamo confuso identità con desideri. Dateci una bomba, facciamo una strage.

Sai, prosegue lui, negli ultimi tempi non faccio altro che pensare al passato. Ho cercato di visualizzare la prima volta esatta che ci siamo visti.

Non replico, mentre nella testa passano immagini. Scuola, corridoi. Sbattere di porte. Posso elencare a una a una le circostanze. Quel giorno nel bar per esempio, io con gli occhi azzurri. Avevo gli occhi azzurri, Massimo. E che fatica difenderli, con l'oculista che diceva: se non vuoi diventare cieca, buttale. E io no, occhi gonfi, infiammati, marci ma azzurri. Grassa, deforme, occhi azzurri. Qualcuno si sarebbe innamorato dei miei occhi.

Ora ti dico la prima volta che ti ho vista, fa lui perso nella ricostruzione. Eravamo a una festa, tu vestita di rosso.

La vergine cerca nella memoria, e sì, le pare di trovare qualcosa, forse un locale, una festa in un locale, un vestito rosso, le pare che sia davvero esistito un vestito rosso indossato in un'unica circostanza, ed era quella.

Avevi questo vestito corto, prosegue lui, se ti abbassavi si vedevano le mutande. Non prendermi per maniaco, uno che a distanza di anni ricorda i dettagli... La verità è che mi piacevi già allora, credo, e non me ne ero accorto, la mente fa strani scherzi.

La voce si abbassa, si scalda in questa dichiarazione tardiva: ho l'immagine di te vestita di rosso. Tu vestita di rosso e io che penso: belle tette.

A questo punto, nell'ascensore, io non correggo il ricordo. Inutile dire che non venivo invitata alle feste, e che non ho mai posseduto un vestito rosso (vestivo solo di nero, Massimo, abiti neri, occhi azzurri, ma tu non puoi ricordarlo, nei tuoi ricordi io non ci sono, oppure ci sono. Metti meglio a fuoco: la macchia scura sullo sfondo). Non voglio elencare tutti gli elementi che smentiscono la scena. Del resto voi lo sapete, lettori. Voi sapete perché la ragazza della festa, la ragazza dalle belle tette, non potevo essere io.

16

In ogni situazione rievocata cerco di collocarmi. Dove sono stata fino a venticinque anni? In lontananza, un figurina nella panoramica del film. Non il primo piano di adesso, il piano dove mi pone Massimo e non solo, la fama in generale – su palchi, davanti a telecamere, rivolta al pubblico in sala, il pubblico a casa, audience di questa trasmissione, facciamo un milione di spettatori. Rivolta al mio pubblico a dire: le storie nascono dal vissuto. Insieme a: il dolore personale stabilisce il grado di verità dello scrittore.

E non ci vuole una mente chissà quanto illuminata per accorgersi che ciò che dico è stupido, che se davvero esistesse un mio pubblico, se davvero avessi persone che leggono i miei libri, oggi smetterebbero. Motivo per il quale evito di riguardarmi, rileggermi, epifania in agguato – non vali niente.

Eppure, nonostante storni lo sguardo – da specchi, vetrine –, so che quel baratro c'è. Basta un attimo per cadere, se non sono già caduta, se questa non è altro che una stentata risalita.

Nell'ascensore Massimo mi riporta in alto – torniamo all'anno della fama, l'anno del successo breve, più breve di quel che sono disposta ad ammettere. Due/tre mesi, il resto illusione. Se avessi voluto cogliere i segnali, se fossi stata onesta con me stessa – presentazioni con tre spettatori, articoli passati dalla prima pagina all'ultima, riquadri di fondo, spallette –, quanto tempo ho impiegato a precipitare?

Dunque l'ex ragazzo aitante mi riporta all'anno d'oro – ebbrezza, per strada cammino a testa alta, guardatemi. Sempre camminato rasente ai muri, schivando gruppi di persone, persone singole, col timore della derisione.

Ma prima di raccontare di Massimo, di lui che si dichiara, mai desiderato tanto una donna.

Prima di questo voglio parlare di come sono cresciuta e invecchiata, del modo in cui l'idea del sesso – spauracchio, brama – mi abbia condizionata. Potrei mettere in fila gli episodi sessuali dall'infanzia a oggi, assieme a quelli a cui ho dato valenza erotica dopo averli vissuti, molto dopo. Non lo faccio poiché è il tipico elenco di una giovane di provincia poi di città, niente di straordinario: maschi che mi buttano su materassi di case abbandonate, mani nelle mutande, dita, e io passo il resto della settimana ad angustiarmi: si può rimanere incinta con un dito? Ho dodici anni.

Perdita della verginità con tizio repellente. Reiterate richieste di soldi, in quanto povero. Repellente e povero. Spinge, entra.

Sicura che sei vergine, domanda. Io rispondo: sì, incerta, ripensando al dito, decine di dita – possibile essere sverginate da un dito?

Per scoprire a quello seguente, con cui il sangue esce, se esce, che era un problema di dimensioni.

Inorridisco al pensiero del pisello sottodimensionato. Non vi vergognate ad avercelo piccolo? E via via con gli anni, con gli uomini: non vi sentite ridicoli a venire in un secondo? Non preferireste morire piuttosto che giacere nel letto quando non vi si alza?

Il mio rapporto col sesso è stato ambiguo dalle origini. Schifo fino alla nausea, voglia fino alla nausea. Tutto sfocia in nausea – che fatica l'adolescenza, teatrino di teste mozzate.

In questo percorso tipico, definiamolo pure qualunque, ricoprono un ruolo fondamentale i complessi. Se non avessi avuto il seno asimmetrico l'avrei fatto prima? Mi sarei spogliata, concessa, sarei rimasta nuda in un letto giornate intere con un maschio, avrei dormito con lui (le poche volte mi sono rivestita per vegliare l'intera notte, lui di fianco, giovane, vecchio, a russare).

Negli anni ho messo a punto delle posizioni in cui il difetto non si nota. L'esperienza insegna – con quanti uomini sono stata frettolosamente, mezza vestita? Contiamoli. Nessuno si è mai accorto del difetto. Quanti uomini sensibili nel mondo, più di quel che pensiamo. Ce ne fosse stato uno, persino in circostanze di litigio violento, che mi abbia urlato: deforme.

Non saprei datare il momento preciso, quando sono iniziati ad arrivare i vecchi.

Probabile che ci fossero in precedenza, e la mia mente non li registrasse. Provavo ribrezzo: gente che allunga mani, sbava. Va qui ricordato che nel mio universo non esistevano anziani, e continuano a non esistere.

Nessun genitore da accudire, né parenti prossimi, da queste parti siamo tutti giovani.

La mia idea di senilità si è formata su libri e film, su presenze lungo la strada che supero a passo normale – e lascio indietro di metri, faccio sparire oltre gli angoli.

Da adulta professionista ho avuto modo di interagire con anziani. Di certi notavo la lucidità. L'intelligenza. Addirittura l'indulgenza nei miei confronti. Una curiosità per lo spirito frivolo liquidato dai coetanei come infantile. Bamboleggiante, ridicola, donna. Succede così che spogliarmi coi vecchi, accovacciarmi sopra di loro, mimare una spinta, in un nulla di fatto, mi dia un senso di vitalità. E lo faccio, lo rifaccio. Giudicatemi.

Andando indietro nel tempo c'è stato un inizio. Torniamo indietro, seguitemi. Ho quindici anni, e, obbligata da Federica, scendo a recuperare la testa – sì, la testa con parrucca lanciata dalla finestra.

Scusi, dico sulla porta al vecchio del piano terra, quello che sarebbe diventato il salvatore.

Riprenditi la bambola, dice lui. La chiama bambola.

Nel ripassargli davanti, dice di sedermi con l'aria di chi vuole dare avvio a un discorso serio. Parla, vecchio. Vecchio dai capelli grigi, dalle spalle curve, dagli occhi acquosi, sopracciglia folte come sterpaglia. Vecchio dai contorni del viso molli, dai capillari rotti, e vi chiederete come faccia a vedere tutto questo. Com'è possibile da quella distanza notare tanti particolari. È possibile poiché la distanza si accorcia, lui si avvicina. Mani sul seno, strizza, e io per paura che si accorga della differenza dico: sotto.

Affinché non si accorga del difetto, o forse perché questo vecchio è l'unico essere a manifestare desiderio per me, mi faccio fare tutto. Mano nelle mutande, dita dentro. Davanti, dietro.

Se ci fosse stata Columbine, se fossero già esistite le baby prostitute dei Parioli, quante volte sarei tornata in quella casa a farmi fare cose in cambio di piccole mance con le quali comprare vestiti. Pupazzi.

Un pupazzo gigante – quello mai ricevuto dagli spasimanti, giacché non esistevano spasimanti. Un pupazzo da tenere sul letto come tutte, ho quindici anni.

Eppure, lettori, non è il vecchio l'origine, sebbene gli psicologi da me frequentati avrebbero individuato nell'episodio la causa, se solo lo avessi raccontato, mai raccontato, neanche a Federica da cui quel giorno risalgo. Perché ci hai messo tanto? chiede. E io: una cosa nera tra i cespugli, tipo pantera, sembrava una pantera.

Chiunque, esperto o no, avrebbe individuato nell'episodio (molestia? abuso?) la causa del mio malessere, disturbo alimentare, problema sessuale. Nausea.

Non lo era. A tutt'oggi non so se ci sia una causa singola, un trauma primigenio, o piuttosto un'atmosfera, elementi che concorrono, se non proprio una natura. Ripenso alla nonna paterna, lei che chiama babbo, che sia la nostra un'eredità matrilineare. Sovrapposizione di vittima e amata. Ma poi, e parlo alla nonna: sicure di non essere state noi a provocarli? Sicure che non sfilavamo mezze nude sotto i loro occhi, e dimenticavamo di chiudere a chiave la porta dei bagni. Certe di non sbattere le ciglia, e non inciampare apposta per essere soccorse. Sicure, nonna, che nottetempo non recitavamo paura – un brutto sogno, battito di ciglia – per rifugiarci nei loro letti, con camicie da notte leggerissime, bianche, rosa, sotto cui, in controluce, i nostri corpi semi acerbi ma non del tutto.

Quanto li abbiamo amati, i padri.

Questa è dunque la storia della mia libido.

La storia della ragazza complessata, quella che sbagliava misura, modo. Si concedeva, e si vergognava. Apriva le cosce: non venirmi dentro – unica preoccupazione. E stava lì, spiaggiata, anestetizzata, ad aspettare la fine. A non sentire nulla, se non lieve fastidio, in genere candida, *trichomonas*. Anni di creme e antibiotici per il bruciore. In un'unica occasione un tizio telefonò per chiedere cosa gli avessi passato.

La mia vita sessuale antecedente al matrimonio è così riassunta.

Dopo: amanti, vecchi. Individui che spesso non venivano, e io a rassicurare – è stato bellissimo. A quel punto erano loro i difettosi. E non immaginate cosa significhi trovarsi dall'altro lato. Tollerare, perdonare.

Tutta questa digressione per ritornare a Massimo. A me e lui in ascensore, lui che dice: sei bella.

Io che penso alle ragazze fragili che siamo state, alternativamente, scambiandoci ruoli, ribaltandoli, ieri io, oggi Livia, passando per Federica, Simona, Emanuela, Marilyn. L'attrice giovane, le ragazze del reportage, Anita.

Beata Livia. A casa, per strada, di notte. Beata te che non

capisci, che vivi in una bolla dove è sempre estate e gli innamorati si baciano. Ridi, volteggi. Socchiudi gli occhi, lo amo, dici. Lo amo da morire.

Nelle registrazioni della madre, della Livia prima dell'incidente la vicina di casa raccontava: "Una mattina la incrocio sul portone con Giotto che avrà avuto tre, quattro mesi. Lei si abbassa a carezzarlo, gli fa un sacco di complimenti, in effetti lui è un labrador particolare, con gli occhi celesti tipo husky... A un certo punto lei chiede se glielo vendo. Sarebbe disposta a pagare qualsiasi cifra, in fondo possiamo prenderne un altro, lui o un altro che differenza fa per noi? Lei invece ha sentito come un'energia tra loro, non vedo come le sta leccando la mano?... Io naturalmente ho detto no, e non per cattiveria... Insomma, i cani non sono pupazzi, e anche se era arrivato da poco noi gli eravamo affezionati".

17

Riprendiamo la cronologia della storia, passato il 6 marzo, menopausa, arriva il 20 aprile – maggio lontanissimo, giungerà per tutti inaspettato.

La sera del 20 aprile il telefono inizia a suonare, tra messaggi e telefonate a cui non rispondo.

"Ha vinto!!!", "Tua figlia è un genio", dicono i messaggi. Io rifiuto di accendere la tv per non vedere coi miei occhi Anita al quiz, il mio fallimento di madre. Tutto intenzionale da parte sua, lei che decide di ridicolizzarmi, e che sia in mondovisione, in mondovisione sì, ribatto al padre che suggerisce di non esagerare.

Nessun orgoglio, vorrei dire alla gente che scrive, persone che non sento da anni e che, per questo evento ai loro occhi speciale, si ritengono autorizzate a cercarmi.

Io in pigiama – ancora il pigiama di pile dell'inizio, lettori, ho sempre freddo, quanto freddo quaggiù. Se solo mi vedeste, voi pochi rimasti –, c'è qualcuno? È più di un anno che non mi scrive nessuno. Nessuno a complimentarsi, a confessare: ho pianto leggendoti, a stringermi la mano e dire guardandomi negli occhi – sincerità e trasporto nei vostri occhi –, a dire: continua così, rimani te stessa.

E allora questa sera, 20 aprile, vado a letto, spengo il telefono. Datemi un cigno. Un attico.

Il padre mi comunica che nostra figlia ha vinto ottantasei-mila euro. È stata straordinaria, dice, sapeva tutto.

Complimenti.

Chiamala.

No – faccio resistenza. C'è un limite, e il limite è stato ampiamente superato, spiego. Non posso essere calpestata ancora, beninteso, non lo faccio per dignità. Parlo da madre nell'interesse della figlia, troppo viziata, ha avuto tutto facile, di suo cosa ha conquistato, ammettiamolo. E noi ad assecondarla in ogni richiesta, per non chiamarlo capriccio, evitiamo l'elenco di ciò che ha cominciato senza portare a termine. L'università a Londra, per esempio, certo al momento frequentata con profitto – riconosco –, ma lui, il padre, sarebbe pronto a scommettere che arriverà alla laurea? Tipico suo abbandonare a un passo dalla fine (cosa che non succederà. Salto nel futuro: Anita si laureerà col massimo dei voti. E a voler esser precisi, se nella telefonata il mio ex volesse essere tignoso preciserebbe che mai nostra figlia ha interrotto qualcosa, fosse anche pattinaggio a cui l'avevo iscritta contro la sua volontà. Trattasi ancora di manipola-zione mia per far tornare il discorso). Proseguo l'invettiva: e noi a dirle non importa, tesoro, fai quel che senti, diventa ciò che vuoi. Siamo stati genitori indulgenti, e questo è il risultato. Basta, chioso. Andasse dallo psicologo, si facesse spiegare qualcosa da uno specialista.

Quindi, abbassando il tono, bassissimo: mi cercasse lei.

(E suona come una preghiera.)

Non vedo Anita da Milano. Da quando, la mattina seguente agli studi televisivi, è piombata in albergo.

Attenta a non avvicinarmi – conosco quella ritrosia familiare che discende da me, a mia volta ripresa da mio padre, ripresa a sua volta dalla madre, torniamo alla nonna (o forse al bisnonno? Da quale lato della violenza siamo, da chi ha inizio la storia della nostra anaffettività?).

E dunque, per superare l'imbarazzo del saluto, dico che voglio mostrarle la piastra – frugando nel trolley –, li fa lisciscimi, te la regalo – memore della facilità con cui la compravo da bambina, sempre quella, riproducendo all'infinito lo stesso meccanismo, peccato che lei non si faccia ingannare, se d'inganno vogliamo parlare.

Prendi, arrivi, te ne freghi se ho una vita, dice lei.

Io taccio, sono a Milano per recuperare il nostro rapporto.

Lei continua: voglio drogarmi, buttarmi da un ponte?

Anita, provo a dire in tono paziente.

Non sono di tua proprietà, mamma.

Mai pensato.

Se me ne vado di casa, se vado a vivere a Londra.

Per favore, imploro.

Lei non si ferma, infierisce, è venuta apposta. E io a riflettere su cosa posso aver commesso di tanto sbagliato dalla nascita a oggi, in quanto posso aver mancato.

Mi odi, dico.

Ma sì, mettiti al centro del mondo.

Io non..., sto dicendo quando lei m'interrompe: stamattina volevo telefonarti, poi ho pensato no, voglio guardarla in faccia, magari è la volta buona.

Hai avuto una libertà che nessun altro.

Mettiamola in un altro modo: non voglio la tua opinione.

E siccome non ribatto, lei avanza verso di me. Gli occhi allungati del padre, la bocca sottile.

Io non sono te, sibila.

Come sarei io, sentiamo.

Spargi odio.

Basta, sbotto. Se sei qui per insultarmi.

Nessuno ti ha chiesto di venire a Milano.

Anita, sul serio, o parliamo tranquillamente.

Sei una manipolatrice.

E poi – ragionando, non so se qualcuno sia stato più crudele con me, se esiste persona, maschio o femmina, che mi abbia fatto tanto male, non i ragazzi del canestro, non Lavinia –, poi mia figlia dice: hai letto quello che scrivono di te? Fatti un giro in rete. Apri Google, digita il tuo nome.

È forse questo a mandarmi fuori di testa, farmi vedere annebbiato. In preda al furore le cose perdono i contorni, anche mia figlia, che diventa una replica sbiadita di sé.

Questo residuo di bambina io spingo. Non ti permettere, dico. I sacrifici, il lavoro solo perché tu – andandole sotto, mettendole le mani addosso. Come ho fatto in passato. Le stringevo le braccia, affondavo le unghie – lei uno, due anni –, strattonavo, agguantavo ciuffi di capelli, la mandavo a terra – lei otto, nove anni, lamentosa, e io sfinita. Gridavo basta – gridavo come se mi stessero gettando in faccia acido, qualcosa di corrosivo, poiché cambiavo espressione, mi avrebbero detto in seguito. Gridavo: ora basta.

Gli adulti intorno – la tata, il padre – ammutolivano – oh, se me ne accorgevo –, terrorizzati che accadesse altro, che io andassi oltre. Un gesto, uno schiaffo, temevano che potessi farle del male, e mi fermavano, si frapponevano tra me e lei. Gli adulti mi strappavano la bambina dalle mani.

Succedeva allora che mi calmassi. Mi mettevo a letto, dormivo.

Quindi oggi strattono mia figlia che, anziché scoppiare a piangere come in passato, piangere e coprirsi la testa, mi viene contro, fisicamente contro, e io la colpisco sulla spalla, ma miravo al viso.

Che abbia aspettato tanto per farle male davvero, che io abbia aspettato di fronteggiare un'adulta in grado di difendersi – violenta sì, non vile. Anni di attesa, eccomi.

Nel goffo corpo a corpo, mi accorgo di quanto sia più alta di me – lo sapevo, solo che non era capitato di misurarlo in questo modo, lei che incombe come una madre, un padre. La blocco per le braccia – in fondo sono io quella massiccia, lei il corpo esile –, la stringo come si abbrancano i bambini sfrenati, autistici. Anita si divincola, sei solo una pazza, dice, e io cado a terra – oggi sono io che cado a terra, la madre.

Cos'era? Gennaio, fine gennaio. Da quel giorno non sento mia figlia. Quando il pensiero va a lei, trovo altro su cui concentrarmi, il lavoro. Accumulo storie, raccolgo testimonianze ("È cominciato che non potevo mangiare niente di marrone, se c'era marrone vomitavo... Poi verde, mi sentivo come se mangiassi erba, pensavo che era erba dove la gente aveva camminato e non solo" – Maria Rosaria, tredici anni, menu B).

Distolgo il pensiero da Anita con il lavoro, con Livia, altro.

Pensiamo a Federica alle prese con Leonardo, cosa può essere successo di tanto grave da portarla a sparire. Qualcuno l'ha informata della vita del figlio a Milano dove si è trasferito per l'università, Filosofia.

No, Federica – le potrebbe aver detto qualcuno –, non è semplicemente in ritardo con gli esami, come vi ha raccontato. Da ben due anni Leonardo non mette piede in facoltà. Da due anni non esce di casa – immagino, m'identifico (conosco la tentazione giovanile di rinchiudersi). Lei corre da lui, piomba senza preavviso, e cosa trova, se non un essere rintanato, disperato, abbrutito, malato – come non pensarci prima: solo un'altra malattia poteva distoglierla da quella della sorella. Solo la malattia può distogliere me da mia figlia.

E dunque: allontano il pensiero di Anita con il lavoro e con Livia a cui dedico telefonate e visite. Venti giorni fa cercavo di liberarmene, ora la trattengo. Non c'è logica, o comunque sul momento non ci ragiono.

Qualsiasi psicanalista direbbe che sto sostituendo Anita. L'attenzione, la cura. Il tentativo di realizzare i desideri di Livia, la voglia di renderla felice.

Va bene, non era la figlia che avevi sognato. La più intelligente, la migliore. Dopo tanto vagare ti è capitata in sorte – caduta dal cielo, viene da dire – questa creatura. È di lei che devi occuparti, tu che non ti sei occupata di nessuno, in particolar modo di nessuno di debole, non di una figlia neonata, non di genitori anziani, per fortuna morti prima che avessero bisogno di te, per fortuna, ripeti. Non ne sarei stata all'altezza, dici nobilitando la pigrizia, l'assoluta mancanza di empatia, l'incuria nei confronti degli esseri umani compresa te stessa.

Così, nel momento in cui l'espiazione potrebbe considerarsi conclusa – il valzer nella notte, degno finale –, io resto. Rimango di fianco a Livia, divenuta figlia in sostituzione di quella reale, direbbero gli psicanalisti. Non proprio, direi io dopo averci riflettuto, perché a un certo punto rifletto, Livia prende le fattezze del mondo da me trascurato. Radunare gli esseri fragili che non ho accudito in un'unica persona, riparare a ciò che ho mancato. Guadagnarmi il paradiso, o forse altro, neanche io so bene per cosa mi sto mobilitando, che sia una questione tra me e me ancora nebulosa, in fase embrionale, come lo sono i bambini che ho immaginato a ogni scopata della mia vita. A ogni scopata ho pensato: sono incinta.

18

Alla notizia della gita al mare Livia reagisce: voglio essere nerissima.

Immaginate quella casa in cui non è stato buttato niente, dall'incidente tutto è rimasto uguale. Quella casa dove l'albero di limoni fiorisce, fruttifica – morto e sostituito negli anni, sembra quello originario. Stesso vaso, stesso angolo del terrazzo. Quella casa dove attualmente il lettino solare giace nella stanza deposito assieme ad altri oggetti in disuso – l'idea del temporaneo, l'idea che le cose possano tornare a funzionare.

Livia lo rivuole in camera. Ha intenzione di riprendere l'abitudine, annuncia, essere abbronzata tutto l'anno. Saltella: la vita è meravigliosa!

Da una parte io, dall'altra lei, trasportiamo il macchinario. Inutile notare cosa ricordiamo, cosa facciano venire in mente due persone che issano un oggetto capace di contenere un corpo, lungo un corpo, largo un corpo.

Una volta posizionato, una volta attaccata la spina, lei allunga la mano al tasto di accensione.

Pronta? chiede trepidante.

Vale la pena rievocare le circostanze in cui si scorticava la pelle. E vale la pena parlare di noi – me e Federica – che nel vederla deturpata non eravamo dispiaciute. Mentre la madre si dannava, cospargeva la figlia di creme, prendeva appuntamenti con dermatologi, noi. Chi eravamo noi. Con Livia sfigurata diventavamo pari. Quindi la pelle di Livia si rimarginava, e riemergevano le differenze in una graduatoria non tanto di felicità quanto di giovinezza: lei se la godeva. Dalle ceneri rinasceva, e rinasceva. Contro ogni avversità, malattia, trauma, sfida perenne. Persino sulla caduta – coma, craniotomia – aveva vinto. Ripensala in ospedale, a casa sulla sedia a rotelle. Ripensala coi capelli cortissimi, rasata. Eccola scalciare le lenzuola, lamentando caldo – qua dentro si soffoca (dove qua dentro poteva essere ospedale, casa) –, rivedila a scoprirsi, rimanendo in mutande e canottiera, il capezzolo in rilievo sotto la stoffa, come l'ombra dei peli oltre le mutande, quando non ciuffi biondi fuori dai bordi.

Intorno medici, parenti. Adulti imbarazzati (sicuri che tra loro nessuno provasse desiderio? L'eccitazione non si comanda, cresce, esplode al cospetto della bellezza. Tanto più feroce questo desiderio, quanto più inerme l'oggetto).

Tu scrittrice, rivedila mezza nuda nel suo corpo armonioso, occhi azzurri, broncio/sorriso, Livia.

Oggi allunga di nuovo la mano al tasto di accensione del lettino.

Quasi non ci fosse stata una pausa di trent'anni, si spoglia, rimane in mutande. Entra nel sarcofago, chiude gli occhi.

Solo che niente si illumina.

L'istinto è quello di correre ai ripari, staccare e riattaccare la spina, stacca e riattacca nella speranza di un'epifania.

Sfrigolio, scintille dal tubo.

Siamo in tante in questa stanza, in tantissime a pregare che la luce risplenda. Macchina del tempo, prendici e riportaci indietro. Rischiaraci, abbronzaci.

Anche l'unico tubo si spegne.

Non funziona, dico.

Sento il caldo, replica Livia da dentro.

Spiego che deve essere fulminato.

Lei si ostina invitandomi a provare a sentire con la mano. E no, nessun calore.

Temo sia rotto, dico.

Allora lei apre gli occhi.

Stordita, si tira su, esce. S'inginocchia, e prende a scuotere il lettino.

Povera Livia, povere noi.

La prego di alzarsi, finché non sono io a sedermi. E ai piedi di quel simulacro di passato, dico che ora esistono le docce solari.

Lei tace, i capelli davanti a coprirle parte del volto. Per il resto nuda.

Abbronzano senza danneggiare, aggiungo. E non sortendo reazione, rilancio, chiedo se non sia felice di vedere Massimo.

Lei alza la testa: non voglio essere bianca.

Il tono atterrito la fa apparire piccola, minuscola, e io le prendo la mano, dico: sei bellissima, tu sei bellissima.

Qualsiasi psicanalista direbbe che ho sostituito Anita. Arresa a una figlia che non mi vuole, ho smesso di rincorrerla, per poggiare amore e accudimento su Livia. Non la figlia speciale immaginata, la figlia che in fondo Anita si è dimostrata, bensì quest'altra.

La vita è meravigliosa – e stavolta sono io a dirlo, faccio mie le parole ingenue, con convinzione, che se qualcuno mi sentisse penserebbe che Livia mi ha contagiata (ritardo mentale come contagio).

Ecco quello che può accadere a chi manca di contatto con la realtà. Tristezza e gioia in un'unica linea di sentimento. E così Livia si rianima dal nulla, dice che vuole abbronzarsi, devo portarla a provare le nuove lampade.

Segue elenco di attività che intende tornare a praticare: nuotare, pattinare, comprare Big Babol, fare palloncini con Big Babol, scopare. S'incupisce, l'ultima volta è stata con Massimo.

Ma sul tempo lei è inaffidabile, lo sappiamo. Ieri correva giù per le scale della scuola. L'altroieri l'uomo all'uscita le proponeva il provino, tra tutte sceglieva lei, e insieme si allontanavano lungo la strada. Salivano sull'auto.

19

"L'impressione generale fu di una persona infelice. Sicuramente bellissima, ma con una luce strana negli occhi. Io stesso ho provato a parlarle. Volevo tirarle fuori qualcosa, ero sicuro che avesse un talento, a costo di mettermi contro Patrizio che diceva: non ha niente. Mi sono incaponito, faccio questo mestiere da quindici anni, difficilmente sbaglio. Prendo Livia e le propongo di scattare delle foto. Per esperienza so che alcuni soggetti hanno bisogno di tempo, devono sciogliersi davanti a un obiettivo, figuriamoci davanti a una telecamera. Andiamo a Villa Borghese. Dico: ti faccio questo servizio fotografico gratis perché credo in te. Ci mettiamo sul prato, lei appoggiata a un albero. Rigida, non riusciva nemmeno a sorridere. Allora lampo di genio mio: altalena. Le chiedo di sedersi sull'altalena, e lei accetta perché di base ci teneva a fare il film, diventare qualcuno. Si mette sull'altalena, e prende a dondolare. Convinto che si stesse sciogliendo, le chiedo di non fermarsi. Dondola e sorridi, dico scattando. Il giorno dopo vado a sviluppare le foto, disastro. Da qualche parte dovrei averle ancora, tutte con gli occhi chiusi. Ce ne fosse una con gli occhi aperti."

Questa una delle voci del nastro. Chiaramente dell'uomo fuori scuola, rivelatosi un fotografo che in seguito all'incontro del parco non aveva più visto né sentito Livia.

Federica mi aveva raccontato di aver ascoltato le cassette della madre. Sosteneva di averne messa una per capire cosa fosse. Iniziato a sentire, non era riuscita a smettere. Non per scoprire chissà cosa di quella notte, ma per ritrovare Livia. Le era presa nostalgia. E forse è quello che aveva fatto la madre con le registrazioni ossessive. Ritrovare la figlia perduta. Strano, diceva Federica – sempre a Milano, sul letto, tutte confessioni di quella notte –, strano come le persone le conosci davvero dopo (dopo l'incidente, dopo la morte), e qui parlava di tutte, sorella, madre. Se stessa. Strana la vita, diceva, riprendendo a raccontare quasi a memoria (o a memoria? Avevo avuto il dubbio), a ripetere il contenuto dei nastri, frasi precise come quelle della parrucchiera: "Sulla cute trovavo tagli, taglietti. Le dicevo di smettere di grattarsi, era un tic nervoso il suo, e io dicevo basta, che se continuava rimaneva calva. Dicevo: vuoi diventare brutta, Livia?".

Da quei nastri Federica ha conosciuto la sorella prima della caduta. Umorale, taciturna, scontrosa, insoddisfatta, per un certo periodo anoressica, piena di tagli, piccole ferite, occhi chiusi.

Sempre nei nastri nessuno fa cenno alla gravidanza. Mica lo so, diceva Federica sul letto, dalla finestra la torre illuminata, non sono sicura che fosse incinta. Era incinta? Aveva abortito? È mai esistito un bambino? Se sì, immaginiamolo maschio come sto facendo io, se sì, seguitemi.

Mggio è il mese del finale. Tragico, improvviso.

Maggio: la domenica tanto attesa piove. E poiché Livia ignora il tempo – unica estate in cui gli innamorati si baciano –, telefona per avvisare che ci aspetta, a che ora arriviamo? Ha preparato lo zaino da due giorni, ma si raccomanda di non dirlo a Massimo, lui non deve saperlo. È così emozionata, la dovrei vedere – la immagino al telefono di fronte allo specchio.

A differenza nostra, Livia continua a rimirarsi negli specchi, nelle vetrine, in qualsivoglia superficie che rimandi la sua immagine, nel telefonino spento o acceso per ripassare il rossetto.

Devo portare un golf? chiede.

Tocca a me comunicare che non andremo, quindi smorzare la delusione, correggere il tiro: aspettiamo che smetta, sarà un temporale passeggero.

Contattare Massimo, pregarlo di vederci ugualmente, magari in un bar. Una, due ore, il tempo di fare colazione, per favore.

Sono stata io a volere la gita al mare, facendo leva sui sentimenti che Massimo prova per me, o dice di provare. Siamo una catena di strumentalizzazioni. Io che desidero rendere felice Livia che vuole rivedere Massimo che vuole rivedere me approfittando dell'amore di Livia. Nessuno di noi al posto giusto, io per prima sto accontentando qualcun altro, non Livia, neppure Anita, psicologi che tutto riportate alla maternità. Oggi rendo felice la più fragile, e che al momento sia incarnata da Livia è un caso, unità del medesimo gruppo antropologico a cui tutte apparteniamo. Esiste una ragazza trasversale, un'idea di ragazza, ombra spettro, il contrario di ideale, una creatura che passando il testimone abbiamo rappresentato tutte. L'obesa, la malformata, la rapita, la ritardata, eccola uscire dal portone di casa in questa giornata di pioggia, cappello di paglia, occhiali da sole. Eccola a saltellare nel tentativo di evitare le pozzanghere.

E siamo noi.

Non starò a dire il nome del bar perché persone, luoghi e avvenimenti di questa storia sono reali. E non vorrei che qualcuno ci riconoscesse nelle persone al tavolino – un uomo, un bambino, due donne, in apparenza una anziana, l'altra giovane. Quella anziana sarei io.

Andando in giro insieme vedo che molti, a un primo sguardo, credono Livia giovane. A un secondo no. È capitato persino che ci scambiassero per mamma e figlia. Un caffè anche per sua figlia, signora? Accadeva fuori dall'ospedale, il giorno della risonanza magnetica, accadeva e l'avrei ricordato con fastidio.

Ma adesso è primavera, e attorno a questo tavolo potete scambiarci per una famiglia. Non solo per età apparente, anche per attitudine – i ruoli sono postura, null'altro. Con la postura del padre ansioso, Massimo dice a Jonathan di mangiare lento, non deve ingozzarsi.

Con la postura della figlia annoiata Livia sbriciola il cornetto.

Fuori la pioggia cade fitta, il sole si raffredda, e il mare. Il mare lontanissimo. No che non andremo.

Quando smette? chiede Livia, indosso gli occhiali da sole, il cappello abbandonato sulla sedia di fianco.

Tra poco, risponde Massimo.

Non voglio stare seduto, protesta Jonathan.

Ragazzi, dico come a rivolgermi a un gruppo di bambini, non perdiamo la calma.

Dal vivo il piccolo è più paffuto che in foto. Moro (finita l'epoca in cui i figli dei ricchi sono biondi, non ci sono biondi da queste parti, e neppure palazzi, aveva ragione il principe).

Jonathan – che deve il nome al nonno materno – è un bambino di sei anni, leggermente afasico, affamato, forse bulimico, scomposto, goffo, educato, oppure timido, oppure sperduto in un posto che non è il suo (ricordo fugace della provincialotta che arriva in città e dalla macchina chiede dove sia la ruota, in paese si parlava solo della ruota del luna park, Roma era la ruota. E per un breve periodo, prima di fare il suo ingresso nella scuola, prima che iniziasse l'inferno, lei aveva immaginato la vita cittadina un continuo salire e scendere dalla ruota. Chissà se si riusciva a vedere il paese da lassù. Come sarebbe stato il padre visto dall'alto?).

E così il bambino, intimidito, ingordo, si concentra sul cibo, fuori non accenna a smettere di piovere, noi in silenzio, se non fosse che di colpo Livia si infervora: vi faccio gli indovinelli.

Abbiate pietà di noi, a chi dovesse vederci, speriamo nessuno, la speranza al contrario di trent'anni fa – altro bar, stesso quartiere. Su questa speranza invertita assisto alle evoluzioni di Livia, indovinelli di cui dimentica parti, arrivando a finali insensati, con Jonathan che ride. Quasi che tra loro ci fosse una linea diretta di comunicazione – sordomuti, alfabeto Morse. E nella sintonia, nel sovrapporsi di voci, nel crescendo di felicità, Livia chiede quale sia il suo animale preferito.

E Jonathan si concentra. Zebra, dice poi.

A questo punto Massimo si innervosisce: andiamo da qualche parte, usciamo.

Dove, faccio io.

E lui, afferrandomi per un polso: ho bisogno di uscire. Turbato dall'intesa tra Livia e Jonathan – se l'adolescenza fosse un teatrino di teste mozzate, lo è invece la demenza. Luce che irradia, e trafigge chi è prossimo. Da quella luce Massimo vuole sottrarre il figlio.

Livia però non lo consente, e ci inchioda al presente. Lasciala, dice fissando la sua mano sul mio polso.

Non le sto facendo male, ribatte Massimo.

Quindi lei scatta in piedi. Vado a rifarmi il trucco, annuncia, come nei film, siamo in un film.

E io la seguo, il timore costante che possa combinare un guaio, intenzionale o no – altri bagni del passato si sovrappongono a questo. La memoria è un susseguirsi di bagni da cui entrare e uscire. Quello in comune delle due sorelle, dove rinvenire residui di Livia, repertarli – scena del crimine: capelli, assorbenti.

Quello di casa mia in cui barricarsi. Infilare un dito in gola, non vomitare – neppure quello.

Il bagno di scuola con le pareti piene di scritte: LILLO, TI AMO – e noi, generazioni di noi, a chiederci chi fosse Lillo.

Gallerie di bagni fino a questo, oggi. Livia si rimette il rossetto.

Come se fosse sera. Come se fosse Marilyn.

Siamo di nuovo alle ragazze non amate, stesso precipizio che credevamo superato. I bagni si sovrappongono insieme alle stanze, ai desideri. Galleria lunghissima, ormai lunghissima, da percorrere a occhi chiusi.

Devi fare pipì? chiedo.

Dalla trousse color argento estrae fard e pennello.

Ti fa abbronzata, spiega, spennellandosi il viso. Pensavo di mettere le ciglia finte, aggiunge. Vorrei gli occhi grandissimi. E poi, senza cambiare tono: voi avete scopato – fissandomi attraverso lo specchio.

Come ti viene in mente, reagisco.

Avete scopato.

Senti, perdo la calma, io sto facendo tutto per te, sarei potuta rimanere a casa, lavorare.

Ehi, sorride lei, mica mi arrabbio. Per me è occhei, le persone devono scopare.

Tra me e Massimo non è mai successo niente, te lo giuro.

Su cosa, chiede lei.

Su mia figlia, dico. Perché, nonostante i litigi, è Anita ciò che mi è più caro al mondo, o forse il mio unico patrimonio. Lo giuro su mia figlia, rincaro, tra me e Massimo non c'è stato niente, né mai ci sarà.

Lei mi scruta alla ricerca di segni di menzogna. Infine: non sai che ti perdi – chiosa.

E sorride: ce l'ha enorme. Largo e lungo – socchiude gli occhi, ricordando, trasfigurando, inventando, sbagliando persona, unendo tutti gli uomini della sua vita.

Quando Massimo chiede cosa ha detto Livia, le sue ultime parole, non riferisco quelle vere, o comunque non tutte. Non riporto la nostra conversazione, tanto meno i sospetti – già smorzando interiormente, nella ricostruzione personale, catalogandoli come sospetti, non accuse. Io stessa cercherò di non dare peso allo scambio nel bagno per non farne il movente. Per mettermi al riparo. Se in lei fosse divampata la gelosia – ma no, nulla può dominare Livia, tutto è sulla pelle, pelle scorticata. Sentimenti, impulsi si muovono in superficie. Però – sempre tra me e me – questa è una concatenazione di eventi. Causa-effetto, o forse no, Livia non ne è capace.

Livia a dondolare sull'altalena, a volteggiare su se stessa, ad allungare le mani al cielo nel tentativo di afferrare il palloncino.

Eppure non può essere un caso – la voce della coscienza.

Un attimo prima noi in bagno, un attimo dopo io e Massimo in fila alla cassa. Il tempo di pagare, voltarci e non trovarli. Uscire e non trovarli neanche per strada, con Massimo che inizia ad agitarsi, e io che chiamo Livia sul telefono. Utente non raggiungibile.

No, non dirò che questa è una vendetta. La vendetta crudele all'idea – sospetto, accusa – di me e Massimo insieme. Non lo dirò a Massimo, né a me stessa.

L'ha portato via, dice lui. Io dico: li troviamo. E non lo penso. Penso che la sensazione di minaccia, di pericolo incombente provata fin qui, quella specie di energia trattenuta, sia esplosa. La bomba dell'adolescenza non ero io, non era la nostra rabbia contro i coetanei, la scuola, non il senso d'inferiorità, non il rifiuto di un mondo che progrediva senza di noi. Né frustrazione, umiliazione, neppure il corpo mostruoso che credevamo di avere e in fondo non avevamo – non eravamo speciali nemmeno nell'orrore.

La bomba che esplodendo avrebbe lasciato solo rovine era Livia, del resto: non ci aveva già provato? Non era stata lei a far deflagrare la giovinezza?

E tutti a credere che il peggio fosse alle spalle. Invece no, il peggio doveva ancora venire.

Non era il tuffo nel vuoto, la nostra Columbine.

21

A maggio gli alberi fioriscono, sebbene io non conosca i nomi, so che a maggio è un tripudio di fiori. In città e in campagna, nella casa nel bosco, quello che Anita chiamava giungla.

E così, nella tarda mattinata di primavera, nella cornice di verde e colori che è in questa stagione la città, io e Massimo siamo in macchina.

Lo sapevo, dice lui. Non dovevo portarlo a Roma, farglielo incontrare.

Ha l'affanno, gli occhi a dardeggiare da un lato all'altro della strada. Non me lo perdono, dice.

È arrivato il momento di chiamare Federica, decido. O forse no. La penso innamorata, torna la versione di lei innamorata sulla spiaggia. La voglio immaginare felice, diamole respiro. Tento allora di rassicurare Massimo: saranno nei paraggi, dico. Lo ha visto lui stesso: andavano d'accordo, ridevano, è una bravata.

Tu non capisci, dice.

Invece capisco, quanto capisco, ma evito di dirlo. Non posso dire che Livia non aspettava altro che vendicarsi, di lui, di me, dei ragazzi che abbiamo continuato a essere, degli adulti che siamo diventati (ormai sono convinta della lucidità di questa donna).

Non posso ammettere la nostra ingenuità a non prevedere

che ci avrebbe fatto pagare ogni cosa. E se mai c'è stato un bambino – deduzione personale –, se c'è stato un bambino abortito, oggi si rincarna.

Vagando per le strade del quartiere, scrutiamo persone. Chiediamo a negozianti, passanti se abbiano visto Jonathan – immagine sul telefono. Questo bambino insieme a una donna bionda.

Le persone dicono: no, scuotono la testa, tuttavia non possono giurarci. Di bambini ne passano tanti, bambini con mamme.

Dove può essere, dove sei – chiudo gli occhi, respiro. Entra nella sua mente. Queste tette, quel cervello. Sei lei, adesso sei Livia.

Livia che non ha senso dell'orientamento, si perde. Che non riconosce le strade. Livia a cui è permesso andare solo dal parrucchiere e al supermercato sotto casa; m'illumino.

Agitati, speranzosi, facciamo il nostro ingresso al supermercato. Cassieri e dipendenti confermano che sì, viene tutti i giorni, due tre volte al giorno, magari senza comprare, oggi però non si è vista. Ma una commessa dice: no, io l'ho vista. Circa un'ora fa, al bancone del pane. Era lei, al novanta per cento lei.

Il direttore propone di visionare le telecamere interne.

Qualcuno dice: una ragazza gentile. Qualcun altro: signora, sarà nei dintorni, in genere non si allontana – e sta parlando a me.

Nella registrazione delle telecamere Livia non compare. La commessa si scusa, deve averla scambiata con un'altra.

Noi di nuovo per strada, riprendiamo a girare, stavolta a piedi.

Ricordate quando erano gli adulti a cercare Livia? Mentre a noi veniva ordinato di non muoverci. È arrivato il giorno in cui siamo noi gli adulti. E il fatto che lo scenario sia lo stesso, il fatto che nell'arco di trent'anni sia lei, sempre lei, a perdersi – sparire, lanciarsi.

Ritrovarla è una riparazione.

Per quel che mi è stato impedito di fare, per quel che deliberatamente non ho fatto e che porto dentro. I resti di me dopo quella notte. La notte in cui Livia ha tentato il suicidio.

Ho sedici anni, ed è suicidio. Ho sedici anni, mi alzo dal letto, entro in cucina, prendo una mela. Ho sedici anni, e vado in salotto quando laggiù, oltre la vetrata, vedo Livia – camicia da notte rosa. In piedi sul cornicione. Il vento fa svolazzare il tessuto intorno al suo corpo, aderisce sul sedere, sulle cosce, la silhouette si erge.

La ragazza bionda sul cornicione veleggia, sorvola. È Livia. Livia a sfidare il pericolo, che sia un precipizio, o la pelle scorticata. Livia che non cade mai. Siamo tutti disposti a scommettere che niente di ciò che ha le verrà tolto. Sul cornicione c'è la privilegiata, la prediletta.

È la prediletta a voltarsi, fissarmi. Il suo è uno sguardo d'intesa, per la prima volta complici, noi, un istante.

Un istante, poi Livia si gira verso la città, di lei io vedo i capelli, lunghi capelli biondi. Si gira, e si butta nel vuoto.

Questi gli eventi di quella notte. La verità mai raccontata per timore che qualcuno potesse accusarmi: perché non l'hai fermata? Che qualcuno potesse interrogarmi sul punto preciso in cui ero, a quale distanza, e magari se non l'avessi spinta io. Come si narrava che mio padre bambino fosse presente durante una violenza del nonno sulla madre (dov'era esattamente? Nel corridoio, nella stanza vicino? Non essere intervenuto lo rendeva complice?).

E dunque la ragazza bionda si lancia nel vuoto, e io, sedici anni, mi piscio sotto. Causa crisi di panico, terrore, fin lì me la sono fatta sotto per il ridere. Fino ad allora sono stata quella che rideva troppo.

Torna la ragazza che rideva troppo, risale dalle viscere. Basta chiudere gli occhi, di nuovo lei. La leggenda sui gemelli che se uno sta male, così le ragazze. Quella che si piscia sotto, somma di tutte. Distillato di voi.

Pelle scorticata per meglio sentire il minimo dispiacere, il battito d'ali – battito di farfalla. Asimmetrica – ecco cos'era: stigma. Stella sulla fronte. Protettrice, guerriera. Vi salverò. Io vi salverò, bambine bionde, teste di bambole. Vi porterò al sicuro nella grotta buia della mia immaginazione, dove nessuno vi toccherà, e se lo farà, se abuserà di voi, sarà a fin di bene, per rendervi protagoniste. Non piangere, Emanuela.

La guerriera dice: andiamo a casa. Perché lei sente che Livia è a casa, nella sua stanza. Nella testa li vede, Livia e Jonathan, a sussurrare sotto il letto per non farsi trovare.

Ci precipitiamo, palpitiamo – un palpitare diverso da quello del passato. Saliamo le scale, entriamo, palpitiamo, palpitiamo – in questo modo nuovo, stentato, anziano.

Informiamo dell'accaduto il padre che non riconosce Massimo (l'agnizione avviene molto dopo, al termine di questa lunga giornata), troppo concentrato sulla figlia sparita – ancora, e ancora.

Dico di essere convinta che siano a casa, nonostante la cameriera sostenga di non aver sentito rientrare nessuno, se ne sarebbe accorta, e il padre. Il padre atterrito. Me l'hanno portata via, dice.

Si ripete la scena del passato: cerchiamo nelle stanze, nella sua stanza. Sotto il letto, nell'attimo in cui mi chino certa di scorgere le teste, e no, non ci sono – trovo pacchi di merendine, ma questa è un'altra storia (vera anche questa).

Controllo nell'armadio, e di sguincio vedo Massimo aprire la gabbietta (è questo il momento in cui i figli, tutti i figli, si fanno piccolissimi). A dimostrazione che il ritardo mentale è contagio, sovvertimento di mondo che entra sotto pelle, dimentichiamo il cervello, non servono danni, buchi neri, la demenza è un virus che passa per via respiratoria, e dunque sì, un giorno uno scoiattolo può bussare alla porta, e un figlio nascondersi nella gabbia dell'uccellino.

Da ora in poi tutto è possibile. In realtà lo era da prima, molto prima, ma nessuno di noi l'aveva capito.

In questa casa, in questa stanza non si nasconde nessuno. E allora d'istinto – sesto senso, empatia – vado in salotto, esco in terrazza. Guardo giù.

Non sono la sola ad avere un presentimento drammatico. Tutti a temere che Livia abbia fatto qualcosa a se stessa, e al bambino. Lampo: libro o film dove la donna si suicida col gatto. Pensieri e immagini si accumulano, insieme a motivazioni: vendetta nei miei confronti per il presunto tradimento, vendetta verso Massimo per medesimo presunto tradimento. Oppure per il tradimento di aver fatto un figlio con un'altra. O addirittura vendetta verso quel bambino che vive, quando il suo – torniamo indietro nel tempo – non è mai nato. La rabbia di Livia nei confronti di tutti i bambini.

Questo è passato davanti a noi e non abbiamo visto, o volutamente ignorato come trent'anni fa – ecco Livia, diciassette anni, a dondolare sull'altalena. Livia, occhi chiusi, tagli in testa. Livia che torna dalla Svizzera e si va a chiudere in camera, porta che sbatte (ha abortito?).

E oltre: Livia che lancia Jonathan da un dirupo, che lo affoga in un lago. Immaginare non è forse ricordare? Di più: le immagini che risalgono dall'inconscio – sogno o veglia che sia – non sono forse accadimenti censurati?

Spostiamoci nella città di mare, nell'appartamento al secondo piano dove Federica riceve la telefonata nella quale dico: aiuto. E anche: ero convinta di risolvere da sola – tutto confusamente. Federica, che ha il localizzatore sul telefono collegato a quello di Livia, cosa che non sapevo, pigia tasti, verifica. L'affanno, dovuto alla notizia della sorella. Penso: vedi che succede ad allontanarsi, prendersi una vacanza? Non dovevi – vorrei accusarla, scaricare la responsabilità.

Trovata, fa Federica.

Mi prega di chiamare appena la raggiungo. Lei prende il primo treno, dice. Dico: aspetta, ti faccio sapere.

Se potessi vederla, se adesso potessi vederla.

Rimaniamo su di lei, entriamo nella sua testa – integra, facciamo un grafico delle differenze tra cervelli sani e non –, caliamoci nell'abisso delle sue paure, che non riguardano se stessa, bensì Livia, puntino rosso nella pianta della città. *Alert*.

Abisso delle paure: cosa può succedere al bambino, chiunque esso sia (il figlio piccolo di un amico, ho detto vaga).

Il pensiero ai suoi di bambini, al momento in cui Giorgio rompe con Livia, vietando ai figli di vederla.

Torna laggiù, Federica. Ricorda quando Giorgio riteneva che Livia avesse un'attenzione morbosa nei confronti di Leonardo. Per esempio: il giorno che tu gli cambiavi il pannolino, e lei diceva che pisellone, superdotato – quante volte Giorgio ha ricordato quell'episodio insignificante.

O quando carponi a terra invitava il nipote a cavalcarla, quindi prendeva a galoppare per il salotto con lui sopra, scoordinata imbizzarrita, e Leonardo cadeva, batteva la testa, questo non puoi non ricordarlo, la pungolava Giorgio. Perché lei sosteneva di non ricordare.

Infine la vasca, Giorgio che dopo aver recuperato Michele cerca di afferrare Leonardo, e Livia si oppone, lui no, dice, stringendo a sé il piccolo, appozzandolo, nel tentativo di allontanarlo dal padre, col bambino che va con la testa sott'acqua, per riemergere subito. Se fosse rimasto un istante di più? Per non parlare di ciò che è successo prima. Cosa è accaduto nella vasca mentre loro erano a cena, quale nefandezza ha commesso Livia sui nipoti? Su Leonardo – Giorgio da sempre convinto che l'ossessione della cognata sia Leonardo. Quale abuso, violenza? Quale trauma ha reso Leonardo l'individuo introverso, impaurito che è, forse gay, nemmeno, semplicemente apatico, chiuso in camera a chattare, un essere terrorizzato.

Così l'episodio della vasca nell'epica familiare diventa per Giorgio il momento in cui Livia tentava di affogare Leonardo, poco conta se in coscienza o meno, lei stava per ucciderlo, e questo dimostra l'assoluta pericolosità di Livia. Ricordi, Federica?

Ricomponi le scene. Smetti di difendere tua sorella in una fusione che comprende te e lei, la somma di voi che non esiste.

Abbi il coraggio di uscire allo scoperto. Esponiti, recupera il dubbio che avesse ragione Giorgio: Livia è capace di far del male ai bambini.

22

Tutti gli animali evocati fin qui fanno la loro comparsa adesso. Gli animali desiderati nelle notti in cui sognavo qualcosa da stringere al petto, un essere vivente il cui cuore battesse all'unisono col mio. E gli animali oggetto di capriccio di Livia e Federica: criceto, uccellino. La gabbia vuota in attesa di un pappagallino.

Animali veri o finti, perché a un certo punto si reclamavano pupazzi, regali di innamorati da tenere sui letti. E in assenza di innamorati si andava ricercando nelle ceste i vecchi peluche come prova tangibile di qualcuno che ci aveva amato, non contava chi – che fine ha fatto il koala, mamma (atto di carità, Elodie).

Benvenuti al Bioparco di Roma. Zoo fino al 1998.

Ecco svelato il mistero degli animali nominati in questa storia, ipotesi di apparizioni, esemplari fuggiti che potevano aver attraversato la strada, ed essersi introdotti in casa. La palazzina rosa sorgeva oltre la strada. Gli alberi che si vedono dal terrazzo sono lo zoo.

Così nel silenzio della notte ululati, barriti, non erano fantasia. Bensì il sottofondo reale della nostra adolescenza.

Elefanti, tigri, pantere, pinguini artici, orsi polari, il mondo che si estendeva al di là della strada, oltre l'alto muro di cinta. Un luogo che in tanti anni non ho mai visitato, al pari del Colosseo, della Cappella Sistina. La paesanotta, il fenomeno da baraccone è entrata in tutti i negozi di via del Corso, nei camerini a provare abiti troppo stretti, McDonald's, discoteche in voga per riuscirne poco dopo, con la voglia di prendere una strada, andare dritto, salire su macchine di sconosciuti, purtroppo non c'erano sconosciuti. Nessun malintenzionato a raccoglierti, vergine di Maremma. Il desiderio di essere violentata, rapita, il disperato desiderio di essere protagonista di qualcosa. E quando è successo è stato per una sola stagione – quanti giorni vive una farfalla? E una scrittrice?

Sul telefono di Federica, Livia è apparsa al Bioparco. Puntino rosso a lampeggiare nella chiazza verde, viale del Giardino Zoologico.

Corriamo giù per le scale della palazzina rosa, attraversiamo la strada, Massimo a trattenermi per un braccio – l'abitudine di trattenere il figlio, su ogni strada –, ci presentiamo alla biglietteria, a spiegare l'accaduto, mentre Massimo mostra la foto di Jonathan. Di Livia non abbiamo foto, e la descriviamo come bionda, magra. Il bambino alto così – mette la mano Massimo, maglietta rossa. Della donna non rammentiamo gli abiti. Figura evanescente. Cappello di paglia, dico io. Intanto ha smesso di piovere. Cappello e occhiali da sole, dico, aiutateci.

Una donna bionda e un bambino di sei anni, rimbalza la comunicazione nei radiotrasmettitori, in quanto Massimo ha chiesto di non dare l'avviso all'altoparlante, la donna potrebbe fuggire, precisazione che rende chiaro di cosa si tratta: sequestro.

La pressione aumenta. L'urgenza di ritrovare il bambino che no, non è un bambino smarrito, ora lo sanno tutti.

Immaginiamo la fine che può fare allo zoo (ostiniamoci a chiamarlo zoo). Passiamo in rassegna le possibilità.

Il recinto delle tigri, quello dei leoni. Perché, gli orsi? Buttate un pezzo di carne agli orsi in cattività che ricevono il pasto dall'esterno, da qualcuno che decide per loro quando e come mangiare.

Sapete quanto impiega un leone a ingoiare quaranta chili di carne? E anche: il miglior metodo per far sparire un corpo? Riecheggia la storia del paese di campagna di mio marito, la casa nella giungla. Anni Ottanta, un ricco industriale milanese compra un'azienda agricola. Terreno più villa padronale di fronte alla quale viene sequestrato il figlio minore. Dopo mesi di trattative coi rapitori, e il pagamento di cinque miliardi di lire di riscatto, il ragazzo non viene restituito. Negli anni a seguire il padre spende un miliardo per le ricerche del corpo. Ipotesi maggiormente accreditata: che il cadavere sia stato dato in pasto ai maiali (non soffermiamoci sul fatto che il rapito avesse la stessa età di mio marito, non soffermiamoci sul dettaglio che il cancello davanti al quale è stato sequestrato era il cancello della vecchia casa di mio marito, e dico mio marito, per il resto della vita continuerò a dire mio marito).

Oggi, in questo luogo, tra gli animali, tornano tutte le storie di sequestri, di corpi mai ritrovati. Questa è una storia di scomparsi, di giovinezze spezzate – in un modo e in un altro. E in queste giovinezze rientriamo tutti. Plotone di zombie. Plotone, mandria, scansatevi, a non scansarvi rischiate di rimanere schiacciati. Ho già detto che eravamo rumorosi? Ho detto che eravamo confusi, esagitati, impauriti, infelici? Che il minimo pericolo, un'ombra ingigantita sul muro, ci faceva sobbalzare? (Ed era la nostra.) Ho detto che ci muovevamo in gruppo, e che quando eravamo soli ci sentivamo svanire, sprofondare – quanto avremmo voluto non esistere.

Massimo a destra, io a sinistra, addetti e servizio di sicurezza ovunque – dovessero trovarli, hanno l'ordine di chiamarci, meglio avvicinare la donna in nostra presenza. Avanzo tra la folla che non è una folla, avendo smesso di piovere da poco, trattasi di poche persone. Allungo il passo. I piedi cominciano a fare male.

Tutti i bambini che incontro non sono il figlio di Massimo. Né le donne bionde Livia.

Sopra di me il cielo si apre, diventa una giornata di sole, e io sento caldo – reale o da menopausa –, sudo, grondo, mi sfilo la giacca.

Avanzo tra questa folla che non è una folla, ma lo è nella mia testa potenziata che equivale a quella danneggiata, siamo tutti teste danneggiate. La folla di tutte le persone della mia vita che finalmente affronto: ex compagni di scuola, lettori, detrattori, madre, padre, figlia. Tutti voi che non eravate così spaventosi, neppure cattivi.

Ex compagni di scuola, lettori, detrattori, parenti, conoscenti, caporedattori, editori, cognate, amanti, marito, madre, padre, figlia, *I love you* (a pochi metri l'uomo dei palloncini).

Il film con te protagonista che hai sempre sognato. Luci, le mille luci. Applausi.

Per tutti gli applausi mancati, per quello più grande che avresti potuto ricevere, e non hai ricevuto in quanto non sei riuscita a meritarlo. Notte, ragazza sul cornicione.

Affrettati, abbandona dietro di te il corpo pesante, asimmetrico, abbandona la ragazza che sei stata.

Avanza, corri. Arriva prima degli altri, quell'attimo prima che ti consentirà di prendere la scena. Applausi.

A distanza di trent'anni, oggi 20 maggio 2019, l'opportunità di compiere il gesto rimpianto. Oh, sì che avresti potuto. Su quel terrazzo potevi allungare una mano e tirare Livia a te. Avresti potuto e non l'hai fatto. Spiaggiata, terrorizzata, a pisciarti sotto, tu.

La persona che sei adesso ha l'occasione di evitare l'irreparabile.

La tua seconda possibilità, per riparare al passato. Ma vedendoli, avvistando Livia e il bambino – sono loro, li hai trovati! –, l'occasione di essere salvatrice sfuma, ancora e ancora. Un tempo per inerzia tua, oggi per mancanza di dramma. Alla recinzione delle scimmie, Livia e Jonathan, tra le mani un sacchetto, lanciano semi. Non è in atto alcuna tragedia.

Allora chiudo gli occhi, chiudo forte gli occhi, sono diventata scrittrice per questo: inventare, sistemare. Eccomi adulta coraggiosa, eccomi ad allungare il passo, scattare, mettermi sotto – le finestre, i balconi, i burroni, i dirupi della vostra giovinezza –, spalancare le braccia, prendere al volo le ragazze.

23

Francesco, sedici anni, menu C, (43 chili, 1,78) al momento unico maschio del centro, ammette che in parte dimagrire è stato un modo per differenziarsi da Antonio, il gemello per il quale veniva scambiato. Da neonati va bene, ma dopo, sette otto anni, dodici tredici. Antonio, dicevano. E lui: no, Francesco. Addirittura a scuola: Antonio! E lui: Francesco.

Nella sua percezione, chissà perché, non si accorgeva che accadeva lo stesso anche ad Antonio. Attorno ai quindici anni, per distinguersi – gli hanno spiegato oggi gli psicologi – si è fatto crescere i capelli, e li ha decolorati, peraltro loro da bambini erano biondi, si sono scuriti con l'età.

Si presenta a casa biondissimo/bianco. Ma poiché padre e madre sono di mentalità aperta, dicono: ok. Devo farci l'abitudine, dice la madre. Fine. Solo grazie alla terapia familiare, lei sostiene di aver compreso la necessità di Francesco di trovare una individualità rispetto al fratello. Prima che le parlassero gli psicologi non ci aveva pensato, e forse lo sbaglio è stato quello, non dare peso ai cambiamenti come il dimagrimento, le hanno spiegato sempre gli psicologi, dai capelli al dimagrimento. Più una voglia di distinguersi che di sparire.

Adesso gli specialisti stanno portando avanti con Francesco un discorso sul carattere.

Deve imparare che la vera differenza, ciò che rende unici, è la personalità. Gemelli o no, quella non può essere uguale.

Difatti – e qui è Francesco a parlare – Antonio è un tipo serio, sicuro di sé, ma anche permaloso, lui invece è estroverso, molto fiducioso nel prossimo. E creativo, si è reso conto di aver sacrificato la sua parte creativa, a cominciare dalla scelta della scuola. Invece di prendere l'alberghiero come il fratello, avrebbe dovuto scegliere l'artistico.

Insomma, sta capendo solo adesso quello che davvero desidera. E di conseguenza la diversità dal fratello.

Un'altra differenza tra loro è che Antonio è farfallone, mentre lui un tipo fedele. Deve solo trovare la persona giusta che ancora sta cercando ma non si arrende, in fondo al cuore sa che la troverà. Una persona sensibile e creativa quanto lui, l'anima gemella. Per esempio nell'abbigliamento. In fatto di abbigliamento sa di essere parecchio estroso. Una volta, d'estate, è uscito in shorts e maglietta giallo fosforescente. A un certo punto sente qualcuno urlargli dietro: dove vai tutta sola, bella? Seguono apprezzamenti sul suo didietro. Poi la moto lo supera, e i tipi sopra lo guardano in faccia. Uno dice: sei maschio, cazzo. E scoppiano tutti a ridere, lui per primo.

Appendice

Ammantata dall'alibi dell'artista, il genio dolente, posso tornare indietro alla notte in ascensore, io e Massimo. Quella sera, e le precedenti in presenza di Livia, nonché l'ultima con Jonathan, ci sentivamo gli unici adulti, tanto da cercare l'uno lo sguardo dell'altra.

Noi adulti in uno spazio via via più ristretto, fino all'ascensore, mentre di fianco (venti, trenta metri – l'ascensore che scende) Livia dorme, o almeno così l'ho lasciata, nel buio della stanza, la sagoma della gabbietta vuota a pendere dal soffitto. Così l'ho lasciata tentando di non far rumore a ogni passo, avvertendo una possibile minaccia per Livia, e tutte le creature addormentate, che vorrei cingere, per fare da barriera tra loro e ciò che può capitare di imponderabile. È elettricità quella che sento, elettrica pietà per i deboli. Per i piccoli esseri rappresentati dall'esemplare addormentato. Viscerale compassione che percorre l'intero corpo, scossa dalla testa a scendere. Passando per il ventre, serpeggiando per il ventre a farmi dubitare che si tratti di compassione – sono tornate le farfalle? Più tenerezza. Lasciva tenerezza che mi porta a stringere le cosce, stringi forte, vergine. Stringi e spingi, stai partorendo. O forse languore. È languore che ti fa alzare, e conduce fuori dalla stanza, dalla casa.

Con una leggerezza a te sconosciuta, nuova per il corpo che ti porti appresso, in ascensore scopri che no, non è compassione, né pietà, tanto meno empatia, senso di protezione, istinto materno, sorellanza, questa è pulsione erotica.

E poiché agisco in assoluta capacità d'intendere e di volere, assumo la responsabilità di quel che sta per accadere: io, proprio io, scrittrice, madre, quarantasette anni, provoco il mio vecchio compagno di scuola. Lo tocco, mano sul petto.

In ascensore e fuori, senza smettere di baciarci, per strada, in macchina, quasi ad aver atteso questo per l'intera vita. Questa compenetrazione, respiro all'unisono.

Io che solo pochi giorni prima lo rifiutavo, rimproverando con sadismo: non pensi a Livia? Sottinteso: a differenza mia. Chi sono io se non la persona buona che sto dimostrando di essere – mi vedesse Anita, guardami, pensavo nei giorni scorsi, nelle settimane. Fin qui, fino al mio letto dove ho portato Massimo – non guardare, figlia mia.

Mentre lui entra. E io gemo, dico: amore.

Sai quante volte ti ho rivisto chiudendo gli occhi? Nei corridoi di scuola, su e giù per le scale. Ingombranti, tumultuosi. Turbinio di ormoni, sto scopando il plotone.

Spingete, venitemi dentro – l'illusione di fare un bambino.

Com'è scoparsi l'adolescenza. Com'è questo accartocciamento temporale. Scoprire che le fantasie a forza di ripetersi valgono da esperienza, e ciò che sta avvenendo è la ripetizione meno urgente di qualcosa che è già successo.

Tanto che né tu, né lui vi spogliate del tutto, e non per impeto di consumare. Di certo non tu, tu che hai tolto i pantaloni, e tieni il sopra, perché sei tornata l'essere irregolare, la persona che sogna di operarsi – operatemi! – per poter vivere davvero l'amore, ma questo è amore a metà. Come lo sei tu. Alza lo sguardo, abbi il coraggio di guardare nello specchio la cosa che sei. Regalati compassione.

(Tra le creature innocenti che stanotte dormono, Livia, Anita, le prime che ti vengono in mente, insieme a loro ci sei anche tu.)

Che questo sia passato dovete sentirlo entrambi, tu e Massimo, al punto che sul letto, uno di fianco all'altra, con lui che ti è appena venuto dentro, e non per passione, affronto delle probabilità, sprezzo del pericolo, ma perché conosce precisamente la tua età, donna sfiorita, avvizzita, nel letto nessuno dei due parla, nessuno allunga la mano in un gesto affettuoso. È presente, tutto presente, mentre fuori, oltre le tende, ombreggia una notte come tante, stellata, senza stelle, luna piena, nubi a oscurare la luna.

Domani devo alzarmi presto, dice lui.

Meglio se vai – io, tirando il lenzuolo fino al collo. Ho freddo, dico. Ed è una menzogna.

Massimo si riveste, io mi giro dall'altro lato. Quanta pena per me, per lui. Per noi ragazzi privilegiati del quartiere Parioli, Roma.

Com'è scopare la propria giovinezza? Cosa si prova, quale illusione a credersi adolescenti. Ecco cosa ho tradito stanotte, la vita dopo.

La vita dopo è la bambina arrivata poi.

La ragazza che guardo sul computer subito dopo che Massimo va via. Cercata in rete, trovata. Il mio ex marito l'aveva detto: se vuoi rivederla.

Capelli a metà collo – quando li ha tagliati? –, occhi allungati del padre.

Animale che mangia tutto, legge il conduttore.

Sullo schermo compare la domanda scritta sopra agli spazi delle lettere della risposta. Otto spazi, conto.

Primo piano di Anita.

Onnivoro, dice.

Nei riquadri appaiono le lettere a comporre la parola "onnivoro".

Pur conoscendo l'esito finale, sorrido. Quanto orgoglio per la ragazza cresciuta nonostante i miei sbagli.

La mente va a lei di tre, quattro mesi, a me che infilando il body le forzo un braccio, a lei che scoppia a piangere, a me che capisco di aver commesso qualcosa. Aiuto, chiamo. Finché non accorre la tata a cui grido di aver rotto la bambina, e lei la prende, la soppesa, la muove, è tutto a posto, dice, intanto mia figlia smette di piangere.

Inabile, madre inabile, tu. Tu che dovevi essere capace. Dare insegnamenti, risposte che non sai dare neppure ora, cosicché lei, la figlia, ti ha superata in saggezza. Per esempio, saresti stata in grado di rispondere onnivoro ad animale che mangia tutto? E a giocattolo fatto da un'elica di carta o plastica che ruota col vento? Rispondi a questo, madre. Rispondi laddove tua figlia tace, scuote la testa, e tu – ben sapendo il finale del gioco –, tu inciti: forza, Anita, ripensa a noi, ai giocattoli, sei stata sommersa dai giocattoli – perché tu questa risposta la sai, ti è venuta all'istante (vedi che non sei tanto inabile?).

Passo, dice invece la figlia, suscitando la tua reazione. No, dici, no, a voce alta.

Quasi che sia possibile perdere – non dimentichiamo che qui perdere significa precipitare nella botola. E tu madre continui a dire no, come a voler trattenere tua figlia.

Mentre il conduttore ricomincia da capo, dalla prima domanda, a ripercorrere la domande a cui Anita ha già risposto, ma in questo procedere nuovamente, per ansia, confusione, lei potrebbe sbagliare, dare la risposta errata, e dunque tornare ancora indietro, e finire il tempo – si può perdere anche così –, mentre il conduttore ricomincia dall'inizio, tu ripensi ad altre circostanze in cui sbottavi. In questo istante di nervosismo, vai all'infanzia, a lei piccola a cui stringevi le braccia, affondavi le unghie, lei di uno, due anni che strattonavi, mandavi a terra, lei a cui agguantavi ciuffi di capelli, urlavi, lei tre, quattro anni, otto, lamentosa, capricciosa, a cui gridavi: basta. E gli adulti intervenivano, te la strappavano dalle mani, in quanto tu eri pericolosa, molto pericolosa, del resto avevi dato prova di quanto lo fossi, lasciando grossi lividi sul corpo di tua figlia. Gli adulti temevano molto di più, e tu lo sapevi, lo sentivi, ricorda quando al mare non ti lasciavano sola, non potevi portare la bambina in acqua, tra le braccia. Ti veniva impedito.

È di rito ambrosiano quello che finisce il sabato anziché il martedì, chiede il conduttore.

Carnevale.

Alternanza di domanda e risposta per arrivare ancora lì.

Il giocattolo fatto da un'elica di carta o plastica che ruota col vento.

Forza, incito in ginocchio sul letto, vicinissima allo schermo, quasi potessi suggerire la risposta. Signore – prego. Mamma, papà – rivolta ai morti, ignorando di averli infangati, se c'è un aldilà dovrebbero essere furiosi, oppure mi hanno perdonata, ma sì, perdonatemi. Siamo una famiglia! Di pedofili, violenti, comunque una bella famiglia. Antenati, dalla nonna paterna al bisnonno stupratore, voi tutti fatela vincere. Fatele vincere ottantaseimila euro, i soldi che non ho guadagnato io, ci penso spesso, quale sarà la mia eredità. Risarcite questa bambina a cui ho fatto male.

Giocattolo che ruota nel vento, ripete il conduttore.

Forza, Anita. E do la risposta, la sillabo, come se mia figlia potesse sentirmi. Forza, bambina diversa da me, frutto lontanissimo dalle rosee immaginazioni – letteralmente rosee, avendoti immaginata in tutù a volteggiare, quando tu non hai mai volteggiato, se non, appena hai potuto, arrampicarti, caracollare, correre per casa sul monopattino a distruggermi le porte su cui intruppavi, e io esplodevo: accidenti – quando dalla mia bocca non usciva di peggio, le volte che ho detto cazzo a te piccola, piccolissima. Questa figlia è priva di grazia, lamentavo. E adesso: forza, piccola donna rabbiosa, adolescente introversa, undicenne paurosa, novenne in lacrime. Bambina mia. Allora succede, sullo schermo lei, la ragazza dal naso grande, dai lineamenti non proprio regolari, eppure alta, slanciata, quella ragazza sorride – che mi abbia sentita? Che il vento del perdono di un'intera genia, dal bisnonno alla nonna paterna, in un coro che chiede perdono, colpevoli e innocenti a confondersi, che quel vento abbia portato la risposta a lei, alle sue orecchie, come un'eco dal passato, la voce che torna indietro nella giungla, la giungla della nostra famiglia – ricordi, Anita?

Nello schermo la ragazza risponde.

E io scatto in piedi. In corrispondenza a lei che nel computer esulta, io e te speculari, basterebbe allungare una mano, allungo una mano.

Mentre laggiù – e lassù, e quaggiù per riverbero – ogni cosa si colora e accende, che è esattamente ciò che desideravo per te. Nell'immaginazione ti ho sempre vista sotto mille luci, le mille luci. Applausi. E mi commuovo, davanti al computer io mi commuovo, non tanto perché hai vinto, cosa che sapevo. Io piango perché sei arrivata a ventun anni, quando non avrei mai pensato, non mi sentivo in grado di crescere un essere vivente, pensavo si ammalerà, morirà. Per sbaglio cadrà dalle mie braccia.

Invece ce l'abbiamo fatta. E tu sei laggiù. Sana.

Questo romanzo è dedicato a Federica, quando io la credevo a prendersi una pausa dalla sorella, dal padre, in generale dal peso che la vita aveva riservato a lei, ragazza privilegiata. No, non eravamo uguali, Federica D'Elia (6 dicembre 1972-28 maggio 2019).

Ringraziamenti

Ringrazio la dottoressa Laura Dalla Ragione, responsabile di Palazzo Francisci, Todi (una delle strutture della Rete per i Disturbi del Comportamento Alimentare dell'Umbria).

E il professor Giuseppe Plazzi, direttore del Centro di Medicina del Sonno presso l'ospedale Bellaria, Bologna. Autore de *I tre fratelli che non dormivano mai* (il Saggiatore).

Grazie, infine, a Sandra Bonsanti che ha liberato molte donne, tra cui mia madre.

Mondadori Libri S.p.A.

Questo volume è stato stampato
presso ELCOGRAF S.p.A.
Stabilimento - Cles (TN)

Stampato in Italia - Printed in Italy